Meissner, Alfred

Durch Sardinien - Bilder von Festland und Insel

Meissner, Alfred

Durch Sardinien - Bilder von Festland und Insel

Inktank publishing, 2018

www.inktank-publishing.com

ISBN/EAN: 9783750132573

All rights reserved

o

Durch Sardinien.

Bilder von Festland und Insel

von

Alfred Meißner.

Leipzig,
Fr. Ludw. Herbig.
1859.

Erstes Kapitel.

In der ersten Dämmerung eines trüben und nebligen Apriltages langte ich in der Hauptstadt Graubündtens, dem uralten Sitz feudaler Bischöfe, an. Ich war verdrießlich, unausgeschlafen und von mehrtägiger Fahrt müde gerüttelt. Ich hatte nur eine Nacht in Koburg geruht, war dann über Lichtenfels und Augsburg nach Lindau, dem schwäbischen Venedig, gedampft, bei dem schönsten Wetter über den See nach Rorschach gefahren und hatte nun die dritte Reisenacht im Eilwagen zugebracht. Die Rastzeit in Chur währte nur eine halbe Stunde, da sich die Post nach Bellinzona sofort anschließt. Der Gedanke, noch siebzehn Fahrstunden überstehen zu müssen, war nicht erheiternd und selbst die Erwartung eines schönen Tages und der bevorstehende Anblick mächtiger Naturwunder vermochten mich nicht aus einer apathischen Stimmung heraus-

zubringen. Diesen Zauber zu üben, war erst einem
guten Dresdner vorbehalten, mit dem ich beim
Frühstück ins Gespräch gekommen war. Bis dahin war er mir nur durch ein überaus gesetztes
Benehmen, eine fast übermenschliche Behaglichkeit
und eine ellenlange Pfeife aufgefallen, die er mit
dem Regenschirm zusammengebunden neben sich
hatte. Der Mann stand in den Jahren, in welchen der Philister seine Reife und Vollkommenheit
zu erreichen pflegt: am Rande der Dreißig. Er
war so harmlos, daß Alles, was er sagte, drollig
wirkte. Ich thaute auf und erkannte, was zuweilen ein Philister werth ist. Er hatte dasselbe Ziel
wie ich, er ging nach Bellinzona.

Wir waren an dem Orte Reichenau vorübergekommen und hatten den noch kleinen, über ein
mäßiges Gerölle dahinrauschenden Hinterrhein auf
einer gedeckten Brücke passirt. Von hier beginnt
die sehr merkliche Steigung die ungeheuere Ge-
birgswildniß hinan, die ja der ganze Kanton Graubündten eigentlich ist. Wir stiegen stundenlang,
ohne auch nur ein paar Morgen bebauten Bodens
zu Gesichte zu bekommen. Der Charakter des Landes war ununterbrochen pittoresk, die Bergketten
bildeten bei jeder neuen Wendung ein schönes neues
Thal mit immer wechselnden Linien. Der Rhein,

auf seiner Reise in den Bodensee, rauscht fort und fort unweit der Chaussee dem Reisenden entgegen.

Von Tusis — der Name ist offenbar Tuszia; die Tuskaner Kolonie — von Tusis, wo wir neue Pferde bekamen, wird die Steigung immer steiler, ja außerordentlich stark. Auf einer mindestens fünfhundert Fuß hohen Berghöhe, die steil wie eine Wand herabschießt, erschien Rualt, die Ruine einer sonst mächtigen Burg. „Solcher Schlösser," begann der Kondukteur zu erzählen, „gibt es in diesem Thale an die Zwanzig. Jetzt liegen sie unter dem Schnee, und selbst im Sommer sind sie nur in der Nähe kenntlich, weil sie gleichfarbig mit dem Felsen und von Moos überzogen sind. Hier hausten die Vögte des Bischofs von Chur und peinigten die Graubündtner eben so, wie Geßler hundert Jahre zuvor das Volk von Unterwalden. Einmal trieb der Ritter von Forbun seine Pferde auf die junge Saat. Der Bauer, Johann Choldar hieß er, erschlug die Thiere. Dafür ließ ihn der Vogt in ein Verließ sperren, aus dem er nur durch schweres Lösegeld frei wurde. Bald darauf kommt der Ritter beim Durchritt in die Hütte einer armen Familie. Uebermüthig tritt er herein, und um den Leuten seine Verachtung kund

1 *

zu thun, spukt er ihnen in die Suppe. Zufällig
ist Johann Cholbar dabei. Er sieht den Schimpf,
faßt den Barbaren an der Gurgel, schleppt ihn
zum Tisch und drückt ihm den Kopf in den dampfen-
den Napf hinab: „Da friß die Suppe, die du dir
selbst gewürzt!" ruft er; seine That wird die Lo-
sung einer allgemeinen Erhebung, das Landvolk
stürmt die Burgen und legt sie in Asche. Seitdem ist Graubündten frei."

Der Kondukteur sprang ab und lud auch uns
ein, auszusteigen. Wir thaten es sogleich; das
großartigste Schauspiel wilder Schönheit stand vor
unseren Augen. Die zwei furchtbaren Bergketten
waren einander hier so nahe gerückt, daß man von
der einen Seite auf die andere einen Stein hätte
werfen können. Dieser Paß heißt: das Trou perdu
und bildet den Anfang der berühmten Via Mala,
die der verwegene Unternehmungsgeist der Menschen mit so unendlichen Kosten und Anstrengungen hoch an den schwindelnden Abhängen hinge-
führt hat. Die Chaussee ist so eng, daß zwei Wagen einander nur mit Mühe ausweichen können.
Auf der einen Seite ist sie von Gebirgsmauern,
auf der anderen Seite von unendlichen Abgründen
begrenzt. In der zerrissenen, wildzerstörten, klüfte-
vollen, mit Blöcken besäeten, gespenstigen, oft ganz

verhüllten Tiefe braust der Rhein. Man nimmt deutlich wahr, wie sich dieses eigentlich kleine Berg- wasser tiefer und immer tiefer hineingefressen hat, so zwar, daß es nach Jahrhunderten noch viele Klafter tiefer laufen wird, wie es vor einem glei- chen Zeitraume höher gegangen seyn muß. Die jenseitige himmelhohe Bergwand des Abgrundes drückt die ganze Vorstellungskraft zu Boden und mischt zu dem erhabenen Eindruck einen beängsti- genden Ton. Jahrhunderte alte Tannen ragen hie und da an den Felsvorsprüngen empor, und zeigen dem Beschauer das Maß der unendlichen Tiefe; kleine Wildbäche stürzen sich von der Höhe herab und werden auf dem ersten Dritttheil ihres Sturzes zu Staub und Dampf. Das Licht des Tages dauert nur kurz in diesen Gründen, von den Steinwänden, in welchen die Straße gehauen, träuft es nieder, der Donner des beängstigten Stromes durchzittert die Luft. Der Gedanke, daß der schwer beladene Wagen durch ein Ungefähr hinabgleiten könnte, schraubt die Seele unwillkühr- lich höher empor und erzeugt eine Gemüthsspan- nung, die man, da diese Furcht nur eine Fiktion ist, mit dem ästhetischen Schauer vergleichen kann, den die Katastrophen der Tragödien hervorbringen. Inzwischen ist man immer höher gestiegen und hat die Via Mala selbst erreicht. Die Scenerie derselben trägt denselben Charakter wie das Trou perdu, nur daß die Chaussee noch höher läuft, die jenseitige Felswand noch kühner emporstrebt, der Abgrund, in dessen Spalten der Rhein oft ganz verschwindet, noch tiefer, nächtlicher, schwindelerregender ist. Das Schauspiel versetzt den Beschauer in eine Aufregung, die einen pathetischen Grundton hat. Man ist im Geiste wie in einen Kampf auf Tod und Leben mit den Elementen versetzt. Eine Brücke, deren Wölbung von einem Schwindelrande zum anderen springt, erscheint für den ersten Anblick wie eine Frevelthat der Menschen, die die Rache der unheimlichen Berggeister herausfordern sollte.

Hat man die Via Mala verlassen, so geht es immer den Rhein entlang, an mäßigen Abgründen, aber in starker Steigung, bis in das Dorf Splügen. Da lag noch Alles mit Schnee bedeckt, wie im tiefsten Winter. Es war den brennenden Sonnenstrahlen noch nicht gelungen, auch nur stellenweise die weiße Decke wegzuräumen. Das Sonnenlicht blendete furchtbar. Von hier ab war der Wagen unbrauchbar und nur der Schlitten konnte weiter helfen.

Während der kurzen Mittagsrast galt es, sich

für eine Schlittenpartie zu rüsten, von deren gefährlicher Natur Keiner von uns sich eine Ahnung machte. Das Wetter war sehr schön und von der Kälte nichts zu fürchten, nur die Augen bedurften eines Schutzes gegen das stechend weiße Licht, das die Sonne auf den Schneemassen reflektirte. Wir kauften uns viergläsrige grüne Brillen; auch der Kondukteur und die Postillone trugen solche, ja sogar die Eingeborenen des Ortes. Es ist eine Vorsicht, deren Verabsäumung je nach der Disposition der Individuen, zu gefährlichen Augenentzündungen, ja zu temporärer Blindheit führen kann, denn die endlos glitzernden Schneeweiten, die von keinem andern Farbenton durchbrochen werden, die weißfunkelnden, kryftallhellen, ein wahres Spiegellicht reflektirenden Bergzinken, sind eine mörderische Qual für die Pupille des Menschen, die geschaffen ward, eine farbige Welt zu sehen. Nur des Schneeadlers Auge verträgt solche Weiße.

Es mochte ein Uhr sein, als wir zum Uebergang des Bernardin aufbrachen. Man darf sich unter diesem Namen keinen bloßen Berg vorstellen, sondern eine Wildniß, ein Land von Bergen, ein ganzes Gedränge von Bergkuppen. Der Bernardin ist mit dem St. Gotthardt und dem Luckmanier eine der drei mächtigen Scheidewände, welche die

südöstliche Schweiz von Italien trennen. Wir fan=
den vor dem Hotel zwei niedrige Schlitten, sonst
für zwei Personen berechnet, aber die besondere
Schwierigkeit der Passage erlaubte heute nur eine
Person darin zu placiren. Ein kräftiges Pferd, dem
ein grüner Florsetzen vor die Augen gebunden war,
stand zwischen der Gabel, die aus zwei rohen
Stämmen bestand, der Führer saß hinten und
hatte die langen Zügel um die Lehne des Rück=
sitzes geschlungen.

Alle Bewohner des Dorfes, heute am Sonn=
tag unbeschäftigt, umstanden das Gefährte, das
bald durch die kleine, elende Hüttenreihe des Dor=
fes in eine schneeglänzende Hochebene hinausflog.
Der Passagier saß links, der Kutscher rechts. Als
ich nach dem Warum fragte, erhielt ich die kurze
Antwort: „Des Umwerfens wegen!"

Gegen zwei Uhr langten wir am Ende
des Thales an und ich konnte mir schlechter=
dings nicht denken, wo der unsichtbare Paß gehen
möge, der uns durch den Halbkreis ungeheurer
Schneeberge, die dicht vor uns standen, hinaus=
führe. Ich fragte; da zeigte mir der Postillon
einen der Schneeberge. Bei scharfer Betrachtung
sah ich, wie sich da ein Pfad in Zickzackform an
den furchtbaren Abhängen hinaufzog. Ein Tele=

graphendraht läuft denselben Weg; er folgt nicht
der Chaussee, sondern geht weit jäher hinauf. Auch
der Schlitten macht nur die ersten Zickzacks der
Chaussee mit, dann verläßt er diese und geht neben
der Telegraphenleitung die Höhe hinan. So
furchtbar ist die Steigung, so abrupt sind die Kehren, daß man es zuerst für unmöglich hält, daß
ein Pferd da hinauf könne; aber die Ausdauer,
die Kraft, der Gehorsam, man kann sagen der
Aufopferungsmuth dieser Thiere ist ohne Grenzen.
Jedoch nicht blos in der Abschüssigkeit des fast immer nur ellenbreiten Pfades liegt die Gefahr, in
der Höhe, an den Berghäuptern hängen die Lawinen. Es war jetzt eben ihre Zeit. Der Postillon
zeigte mir zwei, die im Laufe des Vormittags gefallen. Vor einem Jahre begrub eine Lawine an
der Stelle der zweiten Kehre drei Reisende, von
denen nur Einer gerettet wurde.

Wenn man in die Mitte des Berges kommt
und sieht, daß es doch vorwärts geht, so wächst
das Vertrauen und die anfängliche Unruhe sinkt
fast bis zur Sorglosigkeit herab. Nach zwei Stunden hatten wir zwei und dreißig Kehren zurückgelegt; die Pferde, die gar häufig einsanken und
eigentlich keinen einzigen festen Tritt hatten, mußten eine noch jähere Höhe hinauf. Es war nur

die von unten sichtbare Spitze erstiegen und neue Zinken waren vor uns hingezaubert.

Endlich ist die Höhe des Bernardin erreicht. Ueberraschend findet sich ein Wirthshaus da oben, ein Rettungshaus für die Post, wenn sie nicht weiter kann und zugleich eine Herberge für die Schneearbeiter. Diese erhalten für ihre mühe- und gefahrvolle Schaufelarbeit täglich drei Franks. Ein Haufe dieser verwilderten, zerlumpten, grünbebrillten Gesellen umstand die Thüre der Schenke. Ihre Gesichter waren durch das auf den Schnee reflektirte Licht ganz schwarz geworden, sie sahen in diesem Sibirien wie Neger aus. Man hörte sie deutsch, romanisch, italienisch durcheinander reden. Postillone und Kondukteur leerten ein Glas Branntwein. Auch wir waren herabgesprungen und sprachen seit Splügen das erste Wort zusammen.

Ich fand die Tour für eine Vergnügungsfahrt allerdings derb, aber meine Stimmung war eine humoristische. Der gute Dresdner hingegen fühlte sich wie ein Deliquent, der zur Richtstätte geht. Bei dem guten Essen in Splügen hatte er sich in seine liebste Stimmung, in die Behaglichkeit hineingebracht und seine lange Pfeife angezündet. „Nun, die habe ich bald ausgehen lassen,“ sagte er; „doch Gott sei Dank, daß wir oben sind und Alles vor-

über ist! Ich habe so manche Reise in den wilde-
sten Gegenden des Voigtlandes zur Winterszeit
gemacht, das aber — nein, das geht über den Nacht-
wächter!"

Ein See, Lago Moesa genannt, aus dem der
Fluß gleiches Namens entspringt, liegt auf der
Höhe des Bernardin, zweitausend Fuß über dem
Dorfe Splügen, siebentausend Fuß über der Meeres-
fläche. Dieser See war jetzt nicht zu sehen, er war
in dem weiten Schneefelde unerkennbar, wie auch
der Fluß.

Die Reise ging weiter. Auch ich glaubte mit
der Hinauffahrt das Niveau der Gefahren erreicht
zu haben, doch als sich plötzlich die erste furchtbare
Tiefe, die es nun hinabging, aufthat und sich stun-
denweit vor uns nichts als Bergkuppen, Abgründe,
Felsspalten zeigten und die Pferde vor uns so stark
einzusinken begannen, daß es sie eine wahre Anstren-
gung kostete, herauszukommen, und sich dieser Vor-
fall in Kurzem bei fast jedem vierten und fünften
Schritt wiederholte, da begann ich eine Vorstellung
von den Schwierigkeiten des Hinabkommens zu
gewinnen und gedachte des guten Sachsen, der
hinter mir fuhr und in seiner Ansicht, daß Alles
vorüber, so arg getäuscht werden sollte. Die Hitze
der letzten Tage hatte auf diesem Abhange, den die

italienische Luft anweht, den Schnee erweicht und
ellentiefe Löcher hatten die Hufe der Pferde darin
zurückgelassen. Der Weg war nur wenige Zoll
über zwei Fuß breit. Es ging so erschreckend jäh
hinunter, stets an Abgründen, in so verwegenen
Windungen und dabei so schnell, daß man keiner
übertriebenen Aengstlichkeit beschuldigt werden kann,
wenn man anfänglich davor zurückschaudert. Der
Führer sprach unaufhörlich mit seinem Pferde.
„Dummer Hund! merk' auf die Löcher! Schau
wo du hintrittst!“ und wenn das Pferd oft schwer
einsank und beim mühseligen Emporarbeiten keuchte
und Röchellaute ausstieß, rief er: „Ei was! so viel
Gebrumm und doch keine Musik! Mach, daß wir
fortkommen und paß auf!“

Es war wirklich beunruhigend anzusehen, wie
oft auf der jähsten Biegung das Pferd zusammen-
stürzte und, trotz aller Anstrengungen, in dem trüge-
rischen Boden keinen Halt finden konnte. Der
Schlitten hing am Abgrunde, aus dessen Schnee-
decke hie und da ein Büschel Tannensprossen, klein
wie das Weihnachtsbäumchen für ein Bettlerkind,
hervorsah — und doch war es der Wipfel einer
vielleicht hundert und fünfzig Fuß hohen Tanne,
die im Schnee begraben lag.

Zehn, fünfzehn, zwanzig Ellen unter dem schräg

aufgethürmten Schnee blickten die Wegsteine der
Chaussee hervor; man kann sich somit einen Begriff
von der Schneebahn machen, auf welcher unsere
Schlitten fortrumpelten, und zwar in einem so jähen
Laufe, daß man es zuerst nicht begriff, wie ein
Mensch ihn wagen könne. Das Pferd tanzt, die
Füße eng bei einander, der Schlitten folgt den ver-
wegensten Kehren.

Plötzlich stieß der Führer einen gellenden Pfiff
aus — ich fragte, was das bedeute. Unten aus
der Tiefe, nur für sein Falkenauge erkennbar, sah
der Postillon einen ganzen Zug einspänniger Schlitten heraufkommen. Sie gehörten alle italienischen
Fuhrleuten. Endlich treffen wir mit ihnen zusammen, ich bin aufs Höchste gespannt, wie man ausweichen werde. Doch diese Schlitten, zufällig ohne
Ladung, hatten uns bereits Platz gemacht, indem
sie, unsere Ankunft vorhersehend, sich aus dem
Wege stellten. Wir kamen immer tiefer, beim
Umsehen sahen wir, von welchen schwindelnden
Höhen wir herabgekommen, und doch war voraus-
sichtlich nicht zu erwarten, daß wir so bald aus
dieser Gebirgsregion in's Thal hinabkämen. Wir
fuhren schon fünf Stunden. Aber je tiefer wir
kamen, desto wegloser wurde die Bahn und so auf-
gethaut der Schnee, daß die Pferde einbrachen und

oft nur durch fortgeſetzte Sprungbewegungen und Abſchnallungen heraus gebracht werden konnten.

Plötzlich brauſten wir hart an einer Felswand durch eine gemauerte und überdachte Gallerie, welche zum Zwecke gebaut iſt, um die Straße vor den Lawinenſtürzen des überhängenden Berges zu ſchützen. Kleine Hügel von hereingewirbeltem Schnee lagen zu beiden Seiten. Das ganze Innere ſchmückte eine tiefherabhängende, in allen Farben des Regenbogens ſpielende Eiszapfengarnitur.

Eine Strecke weiter entdeckte der Poſtillon einen zweiten Schlittenzug. Als wir zuſammentrafen, befanden wir uns wie auf einem Schneedamme und es kam mir vor, als ob uns der Zufall gerade die ſchmalſte und gefährlichſte Stelle zum Ausweichen angewieſen haben. Obwohl die Poſt den Vorrang hat, war es doch an uns, Platz zu machen. Hier entſchied nicht mehr das Staatsprivilegium, ſondern die Möglichkeit und Nothwendigkeit. Es war nämlich leichter, daß zwei Schlitten, wie die unſrigen, durch den tiefen Schnee hindurchkämen, als die Fuhrmannsſchlitten, die beladen waren und eine Reihe von fünfzehn bis zwanzig Stück bildeten. Mein Schlitten war der erſte. Der Kutſcher faßte das Pferd am Zügel und zog es in den Schnee. Das Pferd ſank mit den Vorderfüßen ein, ſprang

dann aber mit aller Gewalt zurück, so daß es seinen Führer, der zur Hälfte im Schnee steckte, zurück-
riß, und sträubte sich so furchtbar, als ob es seinem
Tode entgegen ginge. Ich benutzte den Augenblick, um vom Schlitten zu springen, weil ich ihn
erleichtern und nicht umgeworfen werden wollte.
Endlich gelang es dem Kutscher, das Pferd, das
aus dem Schlitten gespannt worden war, einige
Schritte weit in den Schnee hineinzuführen, hier
aber versank es fast so tief, wie wenn es im Wasser
schwämme.

Zwei jedes Gespanns ledige Pferde folgten
unseren Schritten, sie sahen kaum dies Versinken
ihres Kameraden, als sie schnaubend durchbrachen
und ihren Weg durch die Schlitten der Fuhrleute
hindurch nehmen wollten. Diese wehrten sie ab:
fluchend, drohend, tobend. Nun waren für mich
noch etwa zwanzig Schritte zu thun, um an der
Schlittenreihe vorüberzukommen, deren Kutscher
still hielten und deren Pferde mit Schrecken und
Bruderinstinkt dem Kampf ihres Kameraden zu-
sahen: Das Schauspiel wirkte so auf sie, daß sie
sich plötzlich alle mit den Vorderfüßen auf den Schlitten oder die Waarenballen vor ihnen aufstellten,
was ihnen das Aussehen von Giraffen gab. Müh-
selig brachte mein Kutscher sein Pferd bis in die

Mitte des zurückzulegenden Wegs. Es arbeitete so furchtbar auf dem tückischen Grunde, daß es einen Augenblick lang fast zu versinken drohte. Da sprang es plötzlich in Verzweiflung empor und fing, da ihm das Auftreten so schlimm bekam, im durchweichten Schnee gewissermaßen zu schwimmen an. Bei diesen Bewegungen sah es wirklich wie ein Frosch im Sumpfe aus. Es stöhnte und zitterte am ganzen Leibe. So kam es fast an den Schlitten vorbei, als es wieder einsank und zwar so tief, daß es herausgeschaufelt werden mußte. Als es frei war, stand es eine Weile zitternd da. Man fand, daß es zwei Eisen verloren hatte. Inzwischen passirte der zweite Schlitten, auf dem der Sachse saß. Unter ganz ähnlichen Kämpfen watete sein Pferd hinein. Der Sachse blieb auf dem Schlitten, der alle Augenblicke umzustürzen drohte, in einer todtenstillen Konsternation, wie ergeben in einen höheren Willen. Meinen Rath auszusteigen, hörte er gar nicht. Ohne ein Wort über den entsetzlichen Kulminationspunkt unserer Schlittenpartie wechseln zu können, fuhren wir weiter.

Die Oede der Schneewildniß war entsetzlich. Hie und da lagen Ballen von Waaren und leere Schlitten, von Fuhrleuten zurückgelassen, seitwärts vom Wege. In immer noch furchtbaren Krümmungen

ging's nach San Bernardino hinunter. Um halb
sieben Uhr kamen wir dort an.

San Bernardino ist ein kleiner Badeort mit einer
heißen Quelle, die höher als alle anderen bekannten
Wasser der Alpen liegt. Drei Hotels dienen zur
Unterbringung der Kurgäste. Während die Pferde
ausgespannt wurden, labten wir uns an einer Tasse
Kaffee. Es erwarteten uns weitere zwei Stunden,
in welchen es durch den Schnee gehen sollte, bis
ungefähr gegen den Ort Misocco hin.

„Nicht wahr," sagte ich zu dem guten Dreßdner,
„diese Aufregung übertrifft die von heute Morgen
auf der Via Mala auf entsetzliche Weise! Es ist
eine gräßliche Belustigung?"

Kleinlaut und muthlos wie ein aus dem Wasser Gezogener und doch voll Scham, seine von
Angst verstörte Einbildung zu lüften, sagte er: „Es
ist doch eine große Ungeschicklichkeit, eine solche
Straße anzulegen. Aber jetzt ist doch Alles vorüber?"

„Ich glaube selbst," sprach ich. „Aber beruhigen
Sie sich. Wenn man es übersteht, bleibt es eine
brillante Erinnerung!"

„Ja, ja! Eine sehr brillante Erinnerung," erwiderte er zu dieser Zustimmung, wie bei den Haaren herbeigezogen. „Die Via Mala ist auch sehr
schön, großartig, aber was hat man von dieser

schrecklichen Tour durch den Schnee? Ich werde höch-
stens eine Zeitlang daran denken, daß ich meine schöne
Pfeife irgendwo da oben verloren. Offen gesagt, auch
die Via Mala, die wohl recht großartig ist, hat doch
nichts Liebliches! Da haben wir in der sächsischen
Schweiz Partieen, die auch großartig sind und doch
immer angenehm und gefällig bleiben. Hier ist Alles
zu massenhaft, viel zu massenhaft!"

Ich hörte diese Herabsetzung der Schweiz, ein
Lächeln unterdrückend, ruhig an; ich merkte, daß
mein Landsmann nur durch die Gefahren zu diesen
Ungerechtigkeiten verleitet wurde, gleichwie es im
menschlichen Gefühl ist, einem Rivalen, so lange er
uns im Wege steht, die schlechtesten Eigenschaften
anzudichten.

Nach einer Weile fuhren wir weiter. Die jäh
abschüssigen Wege hörten noch immer nicht auf.
Wir trafen wohl noch drei- bis viermal mit Fuhrleuten zusammen, denen ausgewichen werden mußte.
Man wurde aber endlich durch die ewige Spannung
so blasirt, daß man wie eine Maschine folgte und
sich selbst als einen Waarenballen zu betrachten an-
fing. Nach zwei Stunden kamen wir vor Misocco
an, wo der leere Postwagen einsam in der Einöde
stand. Unser Gepäck wurde aufgeladen, die Pferde
vorgespannt und jetzt ging es vierspännig den Berg

hinunter. Ich konnte nicht umhin, die tolle Rasch=
heit der Fahrt zu bewundern' und der Geschick=
lichkeit des Kutschers, wie der Kraft der Pferde mein
Lob zu zollen. Wir befanden uns nach vierstün=
stündiger Fahrt, vom Rettungshaus aus gezählt,
in einem Thale, das wenig höher als Chur liegt.
Bedenkt man nun, daß San Bernardino 2600 Fuß
tiefer als das Rettungshaus, Misocco 2700 Fuß
tiefer als San Bernardino liegt, so kann man sich
eine Idee von der Schnelligkeit bilden, mit der
wir herabgerutscht waren. Wir kamen in Misocco
gegen acht Uhr an. Dieses Dorf wie das Thal,
das ich leider nur in der Dämmerung sah, scheint
zu dem Interessantesten in dieser Art zu gehören.
Angenehm empfand man den Gegensatz, aus der leb=
losen, bleichen Schneewelt in eine Region bunter Fel=
sen, grüner Bäume und jungen, mit zahllosen weißen
Blumen bedeckten Rasen hinüberzuspringen.

Vor Mitternacht waren wir in Bellinzona,
einer der drei Hauptstädte des Kantons Tessin,
und somit in Italien.

2*

Zweites Kapitel.

Auf der Mauer des Castello Grande von Bellinzona fitzend, blickte ich nach langer Zeit wieder in italienisches Land. Vor mir lag die Val levantica einerseits, in welcher die Gotthardtsftraße mit der über den Bernardin zusammentrifft, andererseits die weite Ebene des Ticin gegen den Lago Maggiore hin. Berge von den imposanteften Formen, alle üppig bewaldet, verschränken sich zum herrlichften Hintergrund; lang hinlaufende, jetzt verfallene Zinnen dreier feudalen Burgen von den großartigsten Dimensionen überragen die Stadt, die noch immer aussieht, als wäre sie ein Schlüssel Italiens und beherrsche die Päffe, wie dies vor Zeiten der Fall war.

Von den drei Kaftellen gehörte das untere, Caftello Grande genannt, dem Canton Uri, das etwas höher liegende Caftello di Mezzo, Schwytz,

das höchste, jenseits der Schlacht gelegene, Unterwalden an. Sie kamen durch Ueberfall und
Sturm in Besitz des Herzogs Philipp Maria Vis-
conti, Herzogs von Mailand, und diese Besitznahme
führte bei Arbedo, unfern im Thale, am Zusam-
menfluß der Moesa und des Ticin zu jener Schlacht,
in welcher die schweizerischen Haufen eine furchtbare Niederlage durch die Mailänder Generale
della Pergola und Carmagnola erlitten. Zweimal,
durch Ströme von Blut, wurden diese Schlösser von
den Schweizern mit „Hilfe Gottes und ihrer guten
Hellebarden" dem Feinde wieder abgenommen, das
erste Mal dem Herzog von Mailand, das zweite
Mal den Franzosen unter Ludwig XII.; sodann
blieben sie volle zwei Jahrhunderte lang ununterbrochen im Besitz der Eidgenossen, die von ihnen
herab eben so unumschränkt herrschten, wie ihre
Vorgänger.

Die Aprilsonne brannte heiß, wie im Juni.
Auf den Steinen des Gemäuers lagen die Eidechsen unbeweglich, ihrem Raube auflauernd, und verschwanden, wenn sie ihn hatten, blitzschnell in den
Rissen. Bienen summten über den wilden Blumen,
der Scabiosa und dem Thymian; im Garten des
Gefängnißwärters blühten die Mandelbäume. Langsam, auf Flügeln von prachtvoll roth und blauge-

streiftem Sammt kreiste ein Schmetterling. Eine
Magnolia, auf einer Terraffe unten, hatte ihre großen, rosenrothen, prunkvollen Kelche geöffnet. Der
Frühling erschien wie ein Wunder, wie eine Phan-
tesmagorie nach allen Schneeschauerscenen des Alpen-
übergangs.

Lange saß ich dort und sah hinab. Im Hofe
daneben haufte eine ganze Bevölkerung von Sträf-
lingen in Eifen — alle Uebelthäter und Mörder
des Cantons Teffin. Sie waren halb blau, halb
gelb gekleidet. Einige bürsteten auf's Gemächlich-
ste Decken und Matrazzen, andere sonnten sich auf
dem Rasen, noch andere saßen lungernd auf der
Mauer, pfeifend oder singend und mit dem Fuße,
an welchem die Kette mitklirrte, den Takt schlagend.

Also so völlig vergißt man die Kette, daß man
mit ihr Mufik macht! Welche zweifelhafte Strafe
für einen Verbrecher, ihn unter einem so schönen
Himmel lungern zu lassen! Gestern hatte ich ehr-
liche und unbescholtene Leute gesehen, wie sie auf
dem Bernardin unter tobdrohenden Lawinen den
Schnee wegschaufelten und ihr Leben für ein
Paar Francs mindestens zwölf Stunden im Tag
auf's Spiel setzten! Die Civilisation leistet viel.
Für ein paar Francs bringt sie den Reisenden
über ein furchtbares Gebirge, schafft ihm Schlitten,

Pferde, Schneeschaufler, Kutscher, baut ihm auf
der höchsten Höhe ein Rettungshaus hin — aber
eine annähernde Ausgleichung der Menschenloose
zu Wege zu bringen, ist ihr noch nicht gelungen.
Die Gesellschaft hat nur ein unvollkommnes Maaß
zum Strafen; zum Lohnen gar keines. Sie kann eine
menschliche Existenz, welche sich an ihr vergangen,
falls sie durch den Zufall der Geburt nicht gar zu
hoch oben wurzelt, umhauen wie einen Baum, der
ihr im Wege steht; von Freveln abhalten, strafen
kann sie nicht. Strafen sollte heißen: ein gleiches
Maaß von Schmerz, wie er es über Andere ver-
hängt, dem Schuldigen zu leeren geben, damit er
fühle, wie Verletzung thut und dadurch ein Anderer werde. Das kann die Gesellschaft nicht, oder
nur höchst mangelhaft. An's Bessern denkt sie
kaum.

Ich blieb einen ganzen Tag im romantischen
Bellinzona. Es war nicht die Ermüdung, die mich
ausruhen hieß. Ich erstieg eine Veste nach der
anderen und blickte des Abends von der höchst
gelegenen durch die zertrümmerten Fenster auf
den sich weitaus öffnenden Kessel des Lago Maggiore. Schlangen und Eidechsen bilden die Garnison
dieser einst so furchtbaren Festungsmauern; unter
einem halb zertrümmerten Bogen wohnt, gleich

dem Marder oder dem Käutzchen, ein Bettler.
Unsere Zeit, obgleich noch Tausende im Kriege fallen, ist doch eine Friedenszeit, mit jener verglichen,
die diese Wälle, Thürme, und Pulverkammern
erbaute. Die Tage der stahlgeschienten Grafen
und Barone, in welchen die Hütten unten ein
Raub des ersten besten Reiters werden konnten,
sind für immer vorbei. Und doch — wird nicht
vielleicht nach fünfhundert Jahren unsere Zeit für
ebenso barbarisch gelten, als uns jetzt die gleich
weit entlegene gilt?

Die Nacht war schon lange angebrochen, als
ich wieder nach Bellinzona zurückkehrte. Die schwarze,
winkliche, düstere Stadt war noch voll Bewegung.
Junge Bursche flanirten durch die Gassen, bald laut
plaudernd und lachend, bald im Chor singend. Hie
und da stand noch eine alte Frau unter der Thüre,
die schnurrende Spindel in der Hand; große, schwarze
Mädchenaugen fixirten den Reisenden. Die Ca-
fee's standen beinahe leer. Die Schönheit der italienischen Nächte erklärt es, warum die Italiener
keine so fleißigen und ausdauernden Wirthshaus-
besucher werden, wie die Nordländer. Alles schien
durch die herrliche Nacht herausgelockt. Auf dem
Marktplatz, unter dem Brunnen mit dem steiner-
nen Rittersmann, den das Mondlicht beglänzte,

lag eine Gruppe von Facchins und spielte ihr lärmendes Moraspiel.

Am andern Morgen verließ ich den Ort und fuhr nach Magadino. Dieses Städtchen liegt an der Spitze des Lago Maggiore. Der Dampfer wartete bereits. Balb führten mich seine rauschenden Schaufelräder in den See hinein und einer glänzenden Welt von immer wechselnden Bildern entgegen.

Der See war flüssiger Azur; herrliche, grüne Berge thürmten sich rechts und links terrassenförmig empor. Rechts in einer kleinen, blauen Bucht, am Eingang von vier zusammenlaufenden Thälern, erschien Locarno, eine der drei Städte, die der Regierung des Cantons Tessin als periodische Residenz dient, und spiegelte seine weißen, rebenumkränzten Häuser, seine Kapellen, Thürmchen und Orangenhaine im See. Bald darauf folgt Brissago, ein reizender Punkt, mit Villen, Cypressenalleen und Terrassen, auf denen die Myrthe und der Granatbaum im Freien blüht. Hier endet das Schweitzer Seegebiet, von nun an gehört das östliche Ufer Oesterreich, das westliche Piemont. Ein sardinischer Gensdarme tauchte sogleich aus der Tiefe des Schiffraums empor, und forderte die Pässe.

Unser Schiff hatte, wie sich das fast von selbst versteht, einige englische Touristen in grauen Lein-

wandkitteln und einige Ladies mit blauen Brillen
an Bord. Aber diese feine Gesellschaft auf dem
ersten Platze interessirte mich wenig, ich mischte mich
bald in die mehr charakteristische Welt des zweiten
Platzes. Im Grenzorte waren mehrere sardinische
Soldaten sammt ihrem Unterofficier eingestiegen,
kräftige, tüchtig und degagirt aussehende Leute,
von denen zweie, zum Zeichen, daß sie in der Krim
gewesen, die silberne Victoriamedaille trugen. Das
sardinische Militär gleicht in Uniformirung und
Haltung ganz ungemein dem französischen. Farbe
und Schnitt des Rocks, Form des Kepi's ist die-
selbe, aber statt der abgeschmackt bauschigen, todt-
schlächterisch rothen Hose, treffen wir hier ein be-
scheidenes graues Beinkleid. Auch die Haltung
und Art des sardinischen Militärs scheint mir so-
lider als die der Franzosen, sie hat nicht das hahn-
artig Gespreizte, affektirt Raufboldartige. Lange
Schnurrbärte und lange Zwickelbärte giebt es hier
wie dort.

Einen eigenthümlichen Gegensatz zu diesen piemontesischen Soldaten, die so vorschriftsmäßig pro-
per und anständig aussahen, bildete ein päbst-
licher Soldat, ein Urlauber, der auf der Heimkehr
nach Rom begriffen war. Eine unheimlichere, herab-
gekommenere und abgewirthschaftetere Galgenphy-

fiognomie, in der elendesten, abgeschabtesten aller
Uniformen, ist mir nie vorgekommen. Er kam von
Locarno, wo er sich, wie er uns erzählte, von dem
Magistrat eine kleine Wegzehrung hatte geben lassen, und bettelte nun bei jedem etwas anständig
aussehenden Menschen. Er sprach gleich geläufig
französisch, deutsch und italienisch, und war offenbar ein pfiffiger, aufgeweckter Bursch. Im Walde
wäre ich ihm ungern begegnet; jedes Laster stand auf
diesem Gesichte geschrieben und jedes Verbrechens
schien er fähig, so frech, gehässig, wild und unver-
schämt blitzten die Augen. Und welche Kleidung!
Aus den Schuhen blickten die nackten Zehen hervor, der fadenscheinige blaue Rock war an zehn
Stellen geflickt. Kein Soldat des Sultans in irgend einer entlegenen Festung, kann verwahrloster
und schäbiger aussehen, als dieser Soldat des heil-
ligen Vaters, der an dem Ledergehänge ein Blech
trug, das die Tiara mit den Schlüsseln Petri vor-
stellte.

Indeß war der Maschinist des Schiffes an mich
herangetreten, und hatte mich auf deutsch angere-
det. Er war ein Mecklenburger, schon seit sechzehn
Jahren in sardinischen Diensten. „Die meisten
Maschinisten auf den Booten sind Deutsche" sagte
er mir, als ich meine Verwunderung äußerte, hier

einen Landsmann zu finden. „Ein paar Engländer mögen darunter sein, sonst können Sie auf jedem Schiff, das in und um Italien fährt, einen
Deutschen treffen. Die Welschen haben nicht das
Zeug dazu."

„Inwiefern?" fragte ich.

„Kein Ordnungssinn, lieber Herr, keine Ordnungs-
liebe, keine Pünktlichkeit und noch Eins: kein Pflicht-
gefühl. Wie oft würden die Kessel platzen, wenn
sie den Welschen anvertraut wären! Wirklich, da
wäre es bös zu fahren!"

„Und wie ists in den Fabriken ringsum?"

„Ebenso, lieber Herr! Die Werkführer lauter
Deutsche. Wir müssen es ihnen vormachen. Und
verteufelt knapp muß man die Kerle halten, daß
sie immer in Respekt bleiben! Das muß man, lieber
Herr, und dann folgen sie."

Wir waren an Canero vorbeigekommen. Unfern
von uns stieg eine kleine Insel empor, die man
nur für eine Felsenklippe hätte halten müssen, wenn
nicht Reste eines zertrümmerten Gemäuers darauf,
an ein verfallenes Seeschloß erinnert hätten.

„Auf dieser Insel, — sie ist, wie alle Inseln dieses Sees, ein Eigenthum der Grafen Bor-
romeo — haben vor Zeiten vier Räuberbrüder
gehaust," begann der Mecklenburger wieder. „Das

war eine böse Wirthschaft, kein Fahrzeug war vor den Piraten sicher. Als die vier Brüder endlich gefangen und erschossen wurden, blieb die Insel lange öde. Da quartirte sich ein verrückter Engländer dort ein und lebte wie ein zweiter Robinson. Im Jahre 1848 hat der Garibaldi mit seiner Freischar sein Hauptquartier dort aufgeschlagen."

„Sie haben ihn wohl kennen gelernt, da Sie täglich vorüber kamen?" fragte ich.

„Ob ich ihn kennen gelernt habe!" sagte der Maschinist. „Wollte, ich hätte ihn nicht so gut kennen gelernt! Ich bin ja sein Gefangener gewesen."

„Wie so?"

„In Misocco stieg er mit seinen Verschworenen aufs Schiff, wir glaubten es seien Passagiere. Plötzlich, als wir eine Strecke in den See hineingefahren sind, zieht der Trupp Pistolen und Säbel hervor und verlangt die Uebergabe des Schiffes, als Eigenthum der künftigen italienischen Republik. Wir mußten uns auf Gnade und Ungnade ergeben."

Der Maschinist wurde abgerufen, ich konnte nicht weiter fragen. Eine Strecke weiter legten wir vor Laveno, einem kleinen Städtchen auf der östlichen Seeseite an, das sich zur Hälfte hinter einem Berge versteckt. Es gehört Oestreich und ist der Stationsplatz der kaiserlichen Flottille. Zwei stark befestigte Anhöhen beschützen sie; der Feind müßte erst ein grimmiges Kreuzfeuer zum Schweigen bringen, um der Flotte an den Leib zu rücken.

Laveno gerade gegenüber, auf der andern, von der Natur noch reicher geschmückten Seite, liegt Intra, eine Stadt von etwa achttausend Einwohnern, freundlich am See ausgebreitet. Sie besitzt einen schönen Molo, mit einem kleinen Leuchtthurm und einen Hafen. Im Hintergrunde steigen Berge höher und höher empor, kleine Dörfer und Thurmspitzen ragen aus dem Grün der Laubmassen heraus. Noch von ungeheurer Höhe, die nicht mehr bewaldet ist, schimmern Dörfer herunter, und hie und da eine Häusergruppe, als letzter Posten, wo noch Menschen wohnen können. Von da an erheben sich die Gebirge kahl, zackig, kegelförmig, von Schneemänteln bedeckt, zum Himmel.

Drittes Kapitel.

Ich hatte mir Intra zum Orte meiner Ville-
giatur gewählt, denn es schien alle Annehmlichkeiten
des Landlebens zu bieten, und mir doch einige Vor-
theile der Stadt übrig zu lassen. Der große Zug
der Fremden bewegt sich eine Stunde weiter nach
Baveno und Stresa, zwei kleinen Dörfern, die
aber in ihrer Bucht dermaßen durch See und Gebirg abgetrennt sind, daß alle Ausflüge sehr er-
schwert werden. In Intra lebt man billiger, freier
und ebenso schön.

Im Hotel des Leon d'Oro, dem Signor Solano
gehörig, fand ich genügende Unterkunft. Das Zimmer war hoch, geräumig, reinlich, das Bett gut.
Die beiden Fenster meines Zimmers, mit Balcons
versehen, gingen auf den See und den Molo
hinaus, der der Landungsplatz der Dampfer, der

Corso der Spaziergänger ist. Es geht auf diesem Molo sehr lebhaft her, denn Intra ist kein unbedeutender Fabriksort nnd hat große Wollspinnereien, Eisenschmelzen und einen beträchtlichen Holzhandel.

Ganze Stunden lang konnte ich auf dem Balcon sitzen und den lichtblauen See, in der Umfriedung seiner mächtigen Berge mit schneebedeckten Spitzen, betrachten. Die schillernden Farben, die langsam vorüber gleitenden Kähne, diese offen, jene wiegenförmig mit weißem Linnen überdacht, wiegten die Seele in liebliches Träumen. Mit pünktlichster Genauigkeit ließ sich das Läuten der Schiffglocke hören und ein paar Sekunden später kam, wie ein Schwan in den Gewässern rauschend, der Dampfer daher. Bald lernt man diese Schiffe: den Lucmagno, San Gottardo, San Carlo und Ticino schon aus der Entfernung erkennen; ihre Ankunft bildet die Uhr des Tages. Man geht hinab und sieht sich die bunte Touristenwelt auf dem Verdeck an, wie sie kommt, ein paar Minuten Halt macht und wieder verschwindet.

Eine Viertelstunde von Intra, den borromäischen Inseln gegenüber, liegt Pallanza, der Hauptort des Kreises, eine Stadt von Villen. Herrliche Gärten liegen dort und blicken hinüber nach dem schwimmenden Paradies der Isolabella. Alle Nachmittage ging ich nach Pallanza, um im kleinen Café die Zeitungen zu lesen, dann fuhr ich entweder nach den Inseln hinüber oder wanderte weiter, die Chaussee am Ufer entlang, bis in's weite, wilde, rauschende, frische Thal der Tosa. Man wird dieses Wegs nicht müde. Jeder Tag war schön und klar, ein Juwel im Leben.

Unter diesem schönen Himmel hat der Kampf der Jahreszeiten aufgehört, sie sind ausgesöhnt und befehden sich nicht mehr. Im Schneekleid blickt der Winter von den Spitzen der Simplonkette herab, aber unten blüht der Frühling in Orangen, Rosen und Magnolien, schmettert in Nachtigallliedern, küßt und lispelt im Winde. Hinter Intra, auf dem sanft hinansteigenden Gebirge, liegt eine Reihe von Dörfern. Der Weg führt durch Rebengärten und Kastanienhaine, über Brücken und rauschende Kascaden langsam und schattig hinan. Ich konnte stundenlang auf der Mauer vor der kleinen, halb verfallenen Kirche von San Georgio sitzen, und das Auge auf den grünen Abhängen, dem saphirblauen See und den blinkenden Gletscherspitzen ruhen lassen. Die Tage vergingen, ich sah den Frühling immer weiter vorrücken, die Vegetation sich von ihrer ersten, schüchternen, jungfräulichen

Frische bis zur vollen, üppigen, schwellenden Pracht
entfalten. Auch der See hatte sein Leben und seine
Verwandlungen. Ich sah ihn in der Ruhe und in
der Aufregung, jetzt von der Bourasca zwischen die
Alpenschlünde hineingepeitscht, aschgrau, entsetzlich,
ein Verderben der Schiffer, dann wieder lieblich
lächelnd mit den farbigsten Regenbogen geschmückt
— ich belauschte ihn in allen seinen Stimmungen.
Ich sah das Schneekleid langsam von den Schultern der jenseitigen Bergriesen gleiten, die Abhänge
grüner und grüner werden, die Gießbäche wie
feine Silberfäden herüberfunkeln. Diese Bilder
und einige Bücher genügten mir.

Mein Verkehr mit den Menschen war gering,
doch lebte ich nicht ganz als Einsiedler. Im Café
neben dem Markte fand ich Morgens und Abends
freundliche, gesprächige Gäste. Zuerst hatte mein
Aufenthalt in einem Orte, an welchem selten
Fremde weilen, und mein Wandern durch die
Berge Verdacht erregt; irgend ein Schwätzer hatte
gemunkelt, der Signor Forestiere sei wohl am
Ende ein östreichischer Officier, der spionire und
recognoscire, aber das Gerede war bald todtge-
schlagen. Nie erfuhr ich etwas von dem Hasse und
den Unbilden, denen der Deutsche in Italien aus-
gesetzt sein soll.

Allmälig dehnte ich den Kreis meiner Wanderungen aus. Ich wanderte über Gravellona nach dem See von Orta, diesem wahrhaft zauberischen Winkel der Welt, blieb einen Tag, eine Nacht dort und kehrte dann wieder nach Intra zu meinen Büchern und Arbeiten und zur Kirche von San Giorgio zurück. Die Bekannten im Kaffeehause wurden vernachlässigt. In eine Idyllenwelt versunken und keines Verkehrs bedürftig, wußte ich nicht, was inzwischen alle Geister des Städtchens in fieberische Bewegung versetzte. In wenig Tagen sollte die Theatersaison ihren Anfang nehmen.

Bei der Leidenschaft, die die Italiener für den Gesang hegen, ist in einem so ruhigen Ort die Ankunft einer Operngesellschaft ein wahres Ereigniß.

Eines Tages stürzte Pietro, der Cameriere, ungerufen ins Zimmer. „Freuen Sie sich! freuen Sie sich!" rief er. „Die Prima Ballerina ist angekommen und Ihre nächste Zimmernachbarin."

Es war das erste Wort, das ich über das Theater hörte, ward aber nunmehr das Erste von Tausenden und begann bald meine stille Idyllenwelt in Trümmer zu zerschlagen.

Schon an demselben Abend hatte ich die Ehre,

3*

ben Herrn Impreſſario beim Mittagstiſch kennen
zu lernen. Er war ein Neapolitaner, ein corpu-
lenter Mann mit langem, krauſem, ſchwarzem Haar,
das wie ein Kranz rund um eine glänzende Glaße
lief, und beſaß die unermüdliche Beredtſamkeit eines
auf dem Markte predigenden Charlatans; ein Bon-
vivant mit dem lebendigſten Ausdruck eines Alles
nur ſich ſelbſt gönnenden Egoismus, jeder Zoll ein
Seelenverkäufer. Er erzählte von ſeinen Reiſen
und ſeinen ausgedehnten, bis in die Nachbarſchaft
der Throne reichenden Bekanntſchaften, den außer-
ordentlichen Kräften, die er gewonnen, den titani-
ſchen Opfern, die er gebracht und verſicherte, daß
er die beſte Oper herſtellen werde, die Intra je gehabt habe und im Laufe kommender Zeiten je haben werde. Noch an demſelben Abend mietheten
ſich auch der Signor Primo Tenore und der Signor Baritono ein, kurz der Leon d'Oro verwan-
delte ſich in ein Theaterhotel, und es wurde mir oft
zu Muthe, als ob ich mich auf dem Comptoir von
Sturm und Koppe in Leipzig befände.

So kam es, daß ich ſelbſt mit einiger Ungeduld
der erſten Vorſtellung entgegenſah. Ich nahm eine
Loge.

Angekündigt war der Rigoletto von Verdi.
Womit anders kann man auch heutzutage in Ita-

lien ein Theater eröffnen, als mit Verdi? Verdi
herrscht unumschränkt, wie nur vor ihm Donizetti
und Rossini. Man hört seine Musik nicht nur in
allen Theatern, sondern auch auf Wachtparaden,
im Café, im Lustgarten, in Kirchen und auf den
Straßen, von Drehorgeln abgeleiert. Die bejahr-
ten Anhänger der Tradition sind damit unzufrie-
den, und nennen dies den Untergang des sogenannten
Bel canto, der wahren „italienischen Melodie", eine
rauhe, bachantische, über die Alpen dahergekommene,
ultramontane Musik; die Freunde Verdi's dagegen
behaupten, daß sie für eine sentimentale, tändelnde,
ewigsüße Musik nun endlich eine dramatische, ener-
gisch malende erhalten hätten.

Der Theaterabend kam heran, der Zudrang des
Publikums, wie das brillante innere Aussehen des
Theatergebäudes ließen mich beinahe etwas Vor-
treffliches erwarten. Die Corridors waren so zier-
lich symmetrisch, alle Zwischenräume so frei und elegant, und doch wurde die Befriedigung vom Anblick des Innern noch gesteigert. Ich war auf's
Höchste erstaunt, als ich, in die Loge getreten, mich
umsah. Die Architektur des Saals war ebenso
praktisch als schön. Die ganze Decorirung weiß
und gold, die Logenverkleidung mit zierlichem Schnitz-
werk geschmückt; die Drappirungen, von orangefar-

benem Seidendamaft stimmten trefflich zu dem Uebrigen. Jede deutsche Hauptstadt hätte sich freuen
müssen, ein solches Theater zu besitzen. Bedenkt
man, daß es auf Aktien gebaut wurde, die sich
wol schlecht oder gar nicht rentiren, so kann man
einen Schluß auf die Wärme des Antheils ziehen,
der solch ein Institut ins Leben gerufen hatte.

Ich war zu früh gekommen, allmälig erst be-
lebten sich die Logen. Bald wurden alle Räume
voll, die Damen der ganzen Umgegend und viele
Fremde, meist Engländerinnen aus Stresa und
Baveno waren erschienen. Mitten unter dem Lorgnet-
tiren wurde ich auf das Orchester aufmerksam, das
bereits die Instrumente zu stimmen begann. Ein
Erstaunen überkam mich, als ich die Zusammen-
setzung desselben gewahr wurde. Der Theaterzettel
nannte sie Signori Professori und Dillettanti der
Stadt, die sich aus freier Liebe zur Kunst großmüthig
erboten hätten, ohne Honorar mitzuwirken. Es
mochten ihrer dreißig an der Zahl sein. Jedes
Alter war vertreten. Hier saß der talentvolle Knabe,
den die Eltern die Violine lernen lassen, weiter
unten der bärtige Gardist im Nationalgardenrock,
hier erkannte ich den Barbiergesellen vom Nachbar-
hause, an seiner Klarinette putzend, dort einen uralten Gewürzkrämer, der mir früh Cigarren ver-

kauft hatte, und der nun, mit dem Bogen prüfend über das Violoncell fuhr. Endlos war das Stimmen, dabei so ungewöhnlich ohrenverletzend, daß man hätte schwören mögen, eine Schaar muthwilliger Jungen habe sich in's Orchester geschlichen und treibe dort ihren Spuk. Alle meine Erwartungen wurden plötzlich auf's Tiefste herabgespannt. Nach solchen Vorübungen zu schließen, müßten die Sänger, welcher Art sie auch immer seien, am Orchester da unten eine wahrhaft perfide Begleitung finden.

In diesem Augenblick bekam ich den Besuch eines alten piemontesischen Offizier's, den ich oft im kleinen Café neben dem Markte sah.

„Nun, Signor Capitano," fragte ich, „welchen Genuß versprechen Sie uns für den heutigen Abend?"

„Einen sehr mäßigen" antwortete der Alte. „Die Truppe des Signor Calvedi ist berüchtigt. Sie ist nicht blos aus ganz Italien, sondern aus allen Weltheilen zusammengelesen. Der Eine hat sich in Pera, der andere in Rio Janeiro heiser gesungen, man würde sich ärgern, wenn man künstlerische Wirkungen erwartete und könne sich nur amüsiren, wenn man es als einen Zeitvertreib ansieht."

„Aber dies Orchester — hören Sie doch nur" —

„Wir sind nicht in Deutschland und nicht in

Böhmen" sagte der Alte, der lange als früherer
österreichischer Offizier in Prag und in Mainz sta-
tionirt gewesen. „In Italien ist leider das Spiel
der Instrumente kaum noch vorhanden. Wir kulti-
viren hier nichts, als — dem Himmel sei's ge-
klagt, die Guitarre!"

Da erfolgte das Signal, das Orchester sollte
die Ouvertüre beginnen; die Verwirrung unter den
Leuten war unsäglich. Es war, als ob sich die
Mitglieder noch einmal in tiefer Bestürzung fragten, ob sie sich denn wirklich coram publico blami-
ren sollten? Die wiederholten, immer heftigeren
Signale thaten ihnen die größte moralische Gewalt
an, und so begannen einige der Muthigsten, denen
nach und nach die Uebrigen nachhinkten. Ach, es
war eine wahre Katzenmusik und um nur auch diese
möglich zu machen, stand vor dem Kapellmeister,
der zugleich die erste Violine spielte, ein Notenpult,
auf dem ein Blech angebracht war. Auf dieses
schlug er, dabei die Geige im Arme haltend, un-
ablässig los und da auch dies nicht genügte, mußte
er den Fuß mit zur Hülfe nehmen. Dieses klir-
rende Blech und die Fußtritte, die später selbst die
schwärmerischesten Adagio's begleiteten, waren von
unbeschreiblicher Wirkung. Man glaubte nicht im
„Lande der Musik und des Gesanges" zu sein, son-

dern einer Production von Mohren im kaiserlichen
Hoftheater von Timbuktu beizuwohnen.

Die Ouvertüre des Rigoletto zählt nur wenig
Takte und doch wie lange schien sie zu dauern!
Endlich war sie überstanden und der Vorhang rollte
empor. Das tanzende, elegant costümirte Ballet=
corps mit mancher hübschen Mädchengestalt, be=
schäftigte anfangs so, daß man den äußerst schwachen
Chor nicht gleich bemerkte. Als man ihn näher
betrachtete, erwies er sich sofort als ein würdiges
Seitenstück zum Orchester. Er bestand scheinbar aus
zwölf bis fünfzehn Personen, in der That aber war
er ein Solo, das zur Orchesterbegleitung von einem
jungen Mann gesungen wurde, den ich schon frü=
her als Faktotum und Diener des Herrn Impres=
sario gesehen. Nur hie und da begleiteten ihn
seine Gefährten mit leisem Gebrumm.

Chor und Ballet treten zurück, der frivole Her=
zog von Mantua hüpft herein, ja er hüpft, inso=
weit die unbeholfene, wunderliche Figur eines Vier=
zigers, der nun die Bühne betritt, zu hüpfen ver=
mag. Das Aussehen des Mannes ist das eines
Aktenhockers und Staatshämorrhoidarius. Er trägt
einen achtbaren viereckigen Backenbart, innerhalb
dessen ein Gesicht von bureaukratischer Pedanterie
steckt. Dabei ist er ein wenig bucklig, in allen Be=

wegungen starr und bedenklich, und scheint den
Purpurmantel und den Hut mit der Feder nur
wie zum Hohn und zur Strafe zu tragen. Er
bleibt vor den Lampen stehen, wo er die Ballata:
„Quaesta o quella" zu singen hat; — breitet die
Arme wie gebräuchlich auseinander, und scheint
mit einem unendlich überzeugenden Gesichtsausdruck
zu sagen:

„Sehen Sie, Verehrungswürdige, einen Ehemann
und Hausvater, den karge ökonomische Verhältnisse
und das Zwangsgebot eines gewissenlosen Directors
dazu verurtheilten, vor Ihnen heute einen ausge-
lassenen Herzog darzustellen! Ich soll verführen,
Orgien feiern, mich schändlich benehmen — ich, der
solide Mann, für den alle meine Herren Vorge-
setzten ein gutes Zeugniß abliefern werden!"

Hierauf begann er eine klanglose, nur mühse-
lig parirende und vor lauter Sorge des Distoni-
rens kaum sich hervorwagende Stimme ertönen zu
lassen.

Eine wohlthuende und überraschende Erscheinung
war der Baritono, der Darsteller des Rigoletto.
Gleich, als er fröstelnd und argwöhnisch um sich
blickend, die einsame Gasse am Po daherkam,
wo der Bravo die ersten Anträge an ihn richtet,
erkannte man den guten Sänger, der zugleich ein

guter Schauspieler ist. Nur durch widrige Winde
verschlagen, konnte ein Mann von so viel frischer
Stimmkraft und so viel Feuer im Spiel in diese
Bande von Pfuschern gerathen sein. Leider rich-
teten die Signori Professori und Dilettanti seine
Anstrengungen halb zu Grunde. Das Begleiten
dieser Scene ging über ihre Kräfte. Der Eine
eilte zuvor, der Andere verspätete sich, der dritte
blies rücksichtslos, von keiner Pause gebunden,
darauf los. Ein alter Klarinettist war der schreck-
lichste von Allen. Entweder war er halbtaub, oder es
hinderte ihn sein toller Eifer den Ermahnungen
des Kapellmeisters zu folgen. Es mußte ihm endlich das Instrument, mit dem er so hartnäckig sün-
digte, auf Ordre des Dirigenten gewaltsam ent-
rissen werden.

Gilda stand indessen schon lange im weißen
Nachtkleid zwischen den Bäumen des Gartens. Gilda
war hübsch, feueraugig, noch im Alter der Liebe,
aber ihre Stimme kreischte entsetzlich. Die Scene
mit ihrem perfiden Liebhaber kam kläglich zur Ausführung. Unser Tenor aber hatte sich eine ganz
eigenthümliche Auffassung zurecht gelegt. Er drückte
durch Mienen und Bewegungen aus, daß er seine
unredliche Handlungsweise aufs Tiefste verabscheue,
und sich für den elendesten der Sterblichen halte.

Sein Gesang und Spiel war noch gedrückter und befangener, als im ersten Akt. Erst als er das Abdio! Abdio! sang, wurde er etwas belebter und schien sich zu freuen, daß er bald abgehen werde und nicht Zeuge zu sein brauche, wie seine verächtlichen Spielgesellen das gesetzwidrige Werk einer Entführung ausführen würden.

Und wirklich hatten die Hofleute von Mantua bereits beschlossen, an Rigoletto wegen manches insolenten Spaßes Rache zu nehmen, sie versammelten sich eben im Gäßchen. In ihrer Mitte erschien Monochorus, der zahnlose junge Mann und brachte eine Leiter. Plötzlich kehrt Rigoletto, von seinem Vaterherzen gewarnt, zurück, ihm ist zu Muthe, als ob eine Cabale gegen seine Ehre im Hintergrund laure, aber Monochorus redet ihm ein, daß es sich um die Entführung der Gräfin Ceprano handle, und bestimmt ihn sogar, die Leiter zu halten. Der gute Monochorus! Er that sein Möglichstes, eine Menschenmenge darzustellen, aber er hatte mit seinem Entführungswerke so viel zu thun, daß er plötzlich stecken blieb.

Rathlos sah er sich nach allen Seiten um und schien seine Begleiter um ihre Ruhe zu beneiden, während diese wieder zu glauben schienen, daß diese Pause vom Maestro Verdi selbst vorgeschrieben sei.

Vergebens raſte der Souffleur, die Partitur in der Hand, wie ein Kettenhund in ſeiner Hütte; Monochorus war aus einem monumentalen Schweigen nicht herauszupoltern.

Der dritte Akt ging, von Rigoletto faſt ganz getragen, ziemlich gut vor ſich. Unſeres Baritono: „Vendetta! Vendetta tremenda," nachdem ihm die Tochter den Namen des Verführers genannt, war wirklich ergreifend. Es wurde viel applaudirt, trotzdem Gilda arg kreiſchte und das Orcheſter in ſeinem unverbeſſerlichen Durcheinander fortwüthete.

Der Schlußakt kam. Er machte uns mit dem Contrealt bekannt. Maddalena war ein ſchönes, degagirtes junges Mädchen, mit einem Stumpfnäschen und röthlichem Haar, das durch Liebreiz der Mienen für ſich einnahm. Leider ſchien ſie ſich in die Rolle, die ſie zu ſpielen hatte, nur zu gut zu finden und gab der Scene in Sparafucile's Spelunke einen gar zu realiſtiſchen Zug. Aber an unſeren Herzog konnten ſolche coquette Künſte nur verſchwendet ſein. Er gab mimiſch zu verſtehen, daß er wohl wiſſe, wie wenig ſich der Beſuch eines ſolchen Hauſes für einen Gatten und Vater zieme. Ihm war jetzt noch unwohler zu Muthe, als vor der Entführung, in Gilda's Garten. Es koſtete ihm den größten moraliſchen Zwang,

das: la donna e mobile zu singen, er sang es ohne
alles Feuer, ohne eine Spur von Libertinage, ihm
war zu Muthe, als ob er mit diesem Liede seine
liebe gute Frau lästere. Kein Wunder, daß seine
Stimme sich überschlug und trotz des Geschreis,
Gelächters und Getobes des Publikums, aus einem
Reiche von Mißtönen nicht mehr herauskommen
konnte.

Ich ging fort, ohne die zweite Hälfte der Vor=
stellung, das Ballet, abzuwarten. Am andern
Tage feierte das Theater von Intra: der Zettel
meldete: Oggi riposo, per procurar altro tenore.

Viertes Kapitel.

———

Wozu die Nasenlöcher eines Heiligen zu brauchen sind. — Politische Kannegießereien. — Kriegsvorzeichen. — Absolute Kanonen und constitutionelle Raketen.

„Woher des Wegs, Signor Capitano,“ fragte ich am andern Tag den alten Hauptmann, als ich ihn aus dem Lucmagno steigen sah, der von der Südspitze des Sees heraufgekommen war.

„Ich habe einen Ausflug nach Arona gemacht, zum heiligen Carl Borromäus,“ war die Antwort.

„Also eine Wallfahrt! Sind Sie so fromm, Capitano?“

„Das hat mit der Frömmigkeit gar nichts zu thun,“ antwortete der Alte. „Auf einer Anhöhe bei Arona ist eine Statue des heiligen Carl Borromäus aufgestellt und beherrscht die ganze Ebene; ich weiß nicht, ob das Ding Ihrer Bavaria viel nachgibt. Nun bin ich, wie Sie wissen, seit meiner Betheiligung am Kriege aus Oestreich verbannt, bin sardinischer Unterthan geworden, habe aber noch meine Besitzungen in der Lombardei und

meine Frau mit den Töchtern lebt heute noch in
Mailand. Ich sehe sie kaum einmal im Jahre.
Da habe ich nun die Gewohnheit, von Zeit zu Zeit
nach Arona zu fahren. Aus den Nasenlöchern des
Heiligen hat man eine prächtige Aussicht, und wenn
das Wetter hell ist, sieht man sogar die Spitzen
des Doms ganz klar. Für eine Kleinigkeit läßt
mich der Wächter stundenlang allein und so, von
der Nase des Heiligen angenehm vor der Hitze ge-
schützt, kann ich bis auf meine Besitzungen schauen.
Das ist mir eine Herzenserleichterung. Ob meine
Verwalter mich nicht betrügen und meine Töchter
brav sind, kann ich aus solcher Entfernung freilich
nicht erkennen, aber ich gehe doch immer wieder
hin. So sieht vielleicht auch von der Höhe des
Leuchtthurms auf Jersey, ein französischer Emigrant
nach der Küste der Bretagne hinüber."

„Und da ist es Ihnen" erwiderte ich „gewiß
auch lieber, daß Sie die Fluren im klaren Frieden
ruhen sehn, als wenn Sie dort rauchende Hütten
und das Fortschreiten von kriegerischen Colonnen
erblickten."

Der alte Capitano schwieg eine Weile und
blickte zur Erde, dann sagte er: „Auf meine Meinung kömmt hier wenig an. Ich sähe meine Felder gern auf Jahre hin verwüstet und zertreten,

wenn ich später mit den Meinigen wieder vereint
sein könnte. Doch — ich betrachte mein Leben
als abgeschlossen. Ich habe es mitangesehn, wie
nach den Tagen von Custozza Alles zusammenbrach,
wie sich Alles von dem unglücklichen Carl Albert
trennte, und bin seitdem ein Sceptiker geworden.
Die Reconstituirung Italiens unter einem Primat
des Pabstes, wie Balbo und Gioberti sie sich dach-
ten, hat sich als ein abgeschmacktes Phantom erwiesen. Das Pabstthum hat seine Zeit gehabt,
wie alle menschlichen Dinge. Die Macht ist am
wenigsten dazu bestimmt, ein Primat über Andere
auszuüben, die wie ein todtkranker Mensch sich
nicht einmal auf dem Sitze aufrecht halten kann,
wenn nicht rechts und links Einer sie stützt. Und was
unser Piemont betrifft, so ist es zu klein, zu ent-
legen, dem übrigen Italien zu fremd." —

Während der Capitano sprach, hatte sich ein
Dritter, ein Rentier, ein „Possidente" aus der Umgegend zu uns gesellt.

„Da haben Sie wohl Recht," fiel er ein. „Ich
sage: Der Italiener, wie er nun einmal ist, läßt
sich lieber von einem Fremden beherrschen, als von
seinem Landsmann aus einer andern Provinz.
Das sollte man eigentlich einem Fremden nicht
sagen, aber es ist wahr. Als Carl Albert sein

Schwert zog, dachte Turin nur d'ran, es könne am
Ende zu Gunsten Mailands seine Eigenschaft als
Hauptstadt einbüßen, und Mailand seinerseits war
fest entschlossen vor Turin nicht zu weichen. So
geht es durch alle Staaten Italiens herab. Jeder
hat seine Reminiscenzen, jeder seinen Haß gegen das
Nachbarland oder das Nachbarländchen. Uns Pie-
montesen, die wir gewiß der kräftigste Stamm
unter den Italienischen Stämmen sind, uns erkennen die von Mittel- und Unter-Italien nur als
halbe Landsleute an. Was sind auch diese Römer
und Sicilianer unter ihren Regierungen geworden!
Ein halbes Jahrhundert müßte hin-ehen, um eine Ver-
schmelzung vorzubereiten. Man will so lange nicht
warten. Die Deutschen sind wohl auch getheilt
und gesplittert, aber ein vierzigjähriger Frieden,
der Einfluß eines beständigen Zwischenverkehrs und
die Macht einer nationalen Presse haben allmälig
eine Einheit Deutschlands herbeigeführt. Wir sind
noch nicht so weit, wir haben die Einheit Italiens
nur in einzelnen Köpfen."

„In Pallanza drüben und längs der ganzen
Grenze," bemerkte ich, „wirbeln die Trommeln von
früh bis spät. In den andern Städten mag es ebenso
sein. Fortwährend werden Rekruten einexercirt. Die
diplomatischen Verbindungen zwischen den beiden

Nachbarländern sind schon seit langer Zeit abge-
brochen, die Presse hetzt unaufhörlich und immer stär-
ker, das ganze politische Leben scheint von einer fieber-
haften Erhitzung ergriffen. Wohin kann das führen? Doch nur zum Krieg."

„Man hält ihn schon seit Jahren für unaus-
weichlich."

„Glauben Sie, daß der König ihn wünscht?"

„Gewiß."

Eine Pause folgte; ich fragte: „Wie ist der
König?"

„Leute, die ihm nahe stehen, halten ihn für
geistig nicht sehr bedeutend, aber für einen
Mann, der für sein Volk die besten Absichten hegt,
einen Mann von einem großen Ehrgeiz und einer
löwenhaften Courage. Diesen Muth hatte übrigens
sein Vater auch, wiewohl er halb ein Geisterseher und
halb ein Mönch war. Bei Novara lief er geradezu in die Gefahr hinein und suchte den Tod auf.
Zu diesem Muthe, der übrigens im Hause Savoyen
erblich ist, kommt, wie ich aus guter Quelle weiß,
bei dem König noch ein fanatischer Glaube an
eine Mission, die er zu erfüllen hat."

„Und glauben Sie, daß das Volk selbst den
Krieg wünscht, um für Novara Revange zu nehmen?"

4*

„Das Volk von Piemont ist rauh und bieder. Es ist hartnäckiger, arbeitsamer als jeder andere italienische Stamm, ein Volk von einfachen Sitten, und ohne ausgesprochene Liebe für Neuerungen. Es wäre ganz gut damit zufrieden, ruhig die Institutionen weiter zu entwickeln, die man ihm gegeben. Aber eine unbeschränkt freie Presse ist für ein naives Volk, wie das unsrige noch ist, ein bedenkliches Geschenk und die Priesterpartei, die Oestreich fortwährend in den Himmel hebt und die neuen Institutionen des Vaterlands lästert, ist ein Pfahl in unserem Fleische. Wenn diese Leute von der Armonia und der Concordia wüßten, welches Unheil sie anrichten....."

Noch wandelten wir also im Gespräche auf dem Molo auf und nieder, als von Laveno her, von der österreichischen Seite des Sees, der gedämpfte Schall von Kanonenschüssen hörbar wurde."

„Was ist das?" fragte ich.

„Sie halten dort drüben Schießübungen," sagte der Capitano. „Ein ganzes kleines Sebastopol haben sie drüben angelegt."

Wieder fiel ein Schuß, der Ton brach sich in den Klüften, hallte wieder und kam dumpf über den See daher.

Indessen war es dunkel geworden und aus der

Richtung von Pallanza her, auf sardinischer Seite, sah man Raketen und Leuchtkugeln in den dunkelvioletten Himmel steigen.

Was ist nun das wieder?" fragte ich verwundert.

„Wir feiern Morgen das Verfassungsfest."

Seltsam war's — auf der einen Seite die österreichischen Kanonendonner, auf der anderen die constitutionellen Freudenzeichen, die ihnen zu antworten schienen. Alles Signale herannahender Gewitter. Friedlich ging ich indeß mit den beiden alten Herrn längs des Sees, dessen Wellen mit einem leisen Geplätscher an's Land schlugen, sah die Natur so mild, die Berge so ernst und feierlich, den Sternenhimmel so klar — und Zorn und Trauer kämpften in mir, daß der menschliche Groll und Ehrgeiz immer aufs neue wieder den Krieg, der gern einschlummern möchte, aus seiner Höhle hervorstacheln.

Fünftes Kapitel.

Handelt von der Tänzerin Maria Carimali, ihrem Banner, den Irrfahrten italienischer Sänger und einer Rettung durch einen Turiner Kaufmann.

Zwei Wochen spielte das Theater bereits in Intra, als ich die Frage an mich stellte: Warum hast du noch immer nicht die Bekanntschaft deiner Nachbarin, der Prima Ballerina gemacht? Zwei Wochen schon wohnte ich mit ihr in einem Hause, von ihr nur durch eine dünne Wand getrennt, begegnete ihr auf dem Gange, auf der Treppe, im Speisesaal und hatte nie das Bedürfniß gefühlt, sie anzureden oder auch nur sie zu grüßen. Ja, ich hatte sie noch nicht einmal tanzen gesehn, und doch war sie, wie mir alle Leute sagten, eine vortreffliche Tänzerin. Ein Schöngeist von Intra hatte bereits ein Sonnett auf sie gemacht und es drucken lassen, in welchem gesagt war: Maria Carimali sei eigentlich ein Luftgeist, gewohnt mit den Zephiren auf Abendwolken spazieren zu gehn, und lebe nur zuweilen noch auf der Erde, weil

sie den Menschenkindern gewogen sei und ihnen
eine Freude machen wolle. Wie es sich nun auch
damit verhalten mochte: die Thatsache stand fest:
Maria war schön, heiter, lebhaft. Schon in aller
Frühe hörte ich sie singen. Jeden Nachmittag erschien sie auf dem Balcon, der von dem meinigen
kaum eine Armeslänge entfernt war und rauchte.
Wie leicht war es da, ein Wort hinüberflattern zu
lassen, gleich den Cigarrenrauchwölkchen, die von
meinem Fenster zu dem ihrigen hinüberzogen?
Warum diese stolze Gleichgültigkeit, die meinem
Charakter gar nicht angeboren? Ich sah ja auch
nicht, daß sie einen erklärten Cavaliere servente
habe. Bis jetzt schien mir ein winzig kleines
zierliches Schooshündchen ihr einziger Gefährte, der
unzertrennliche Genosse ihrer Einsamkeit zu sein.
Ja, es lag sogar oft etwas in ihrem Blicke, das
vorwurfsvoll auf mich fiel, wie wenn sie sagen
wollte: Ich langweile mich, Signor. Langweilen
Sie sich nicht auch manchmal, so allein? Reize ich
Sie denn gar nicht? Ist mein Auge und mein
Haar nicht schwarz genug? Ist mein Teint nicht
untadelig, sind meine Zähne nicht Perlen gleich?
Ist meine Gestalt nicht die anmuthigste, die es
geben kann und mein Lächeln so ganz ohne Gefahr?" . . . . .

Nein, ihr Lächeln war nicht ohne Gefahr und vielleicht gerade deshalb hielt es mich in der Entfernung. Doch darum blieb es noch immer bei der Frage: warum hast du nicht die Bekanntschaft der Prima Ballerina gemacht?

Fast unmittelbar, nachdem ich die Frage an mich selbst gestellt, hörte ich im Café erzählen, die morgige Vorstellung werde wohl die letzte sein. Die Theilnahmlosigkeit des Publicums und die wachsende Unlust der Signori Professori und Dilettanti, die sich immer spärlicher einfanden, machten es dem Impressario unmöglich, die Gagen zu erschwingen. Vorbei also mit jeder Bekanntschaft! Uebermorgen höre ich auch schon den Schritt der Kofferträger auf der Treppe und die blauen Ringelwolken der Cigarre — die Ballerina verstand es so gut Ringel zu rauchen — würden nicht mehr Nachmittags durch die halbgeöffneten Jalousieen des Nebenzimmers emporsteigen . . . . . .

Die Schauspieler Italiens leben in einem wahren Nomadenzustand. Heute hier, morgen dort! Ihre Scritturen, wie sie ihre Contrakte nennen, laufen meist in einer Frist von vier Wochen ab, wenn sie nicht vorher schon durch finanzielle Katastrophen zerrissen werden. Dann

heißt es sein Zelt weiter tragen. Dieser Unsicher-
heit gegenüber sind die deutschen Künstler im Ganzen stabile Philister, besoldete Staatsdiener, fest-
sitzende Austern. Und dabei — welche Anfor-
derungen jenseits der Alpen! Was würde wol
eine deutsche Primadonna dem Intendanten antworten, wenn er von ihr verlangte, viermal, fünf-
mal, sechsmal in der Woche die Lucia in der
Braut von Lammermoor, die Fides im Propheten, die Azuzena im Troubadour zu singen?
Würde nicht ein deutscher Tenor den Direktor
eines Mordversuchs anklagen, wenn er ihm zu-
muthete, zwanzig, dreißig Abende nach einander
Johann von Leyden zu sein? Hier geschieht das
überall und kein Theatermitglied murrt gegen
diese verzehrende, zu Grunde richtende An-
strengung. Im Mai singt der Unglückliche zwanzig Abende hinter einander den Edgardo in Parma,
im Juni irgend einen Arthuro in Lucca, im Juli
singt er in Ferrara, im August in Athen, im September in Pera falls er nicht, schon halb stimmlos
geworden, es vorzieht, sich jenseits des atlantischen
Meeres anwerben zu lassen, in der neuen Welt,
die in musikalischer Beziehung die geringsten An-
forderungen stellt und in welcher selbst die Nachti-
gallen nicht mehr singen. Wir hatten einen dieser

stimmlos Gewordenen im Hotel, einen zweiten Tenor, der in Rio Janeiro und in Buenos Ayres
Sänger gewesen war. Wo gibt es nicht eine
italienische Oper?

Als ich vom Café nach Hause kam, sah ich das
Banner der Prima Ballerina vom Balcon herab-
flattern. So nannte ich nehmlich ihre fleischfar-
benen Tricots, die sie selbst zu waschen pflegte und
dann auf dem Eisengeländer, ein Spiel der Winde,
trocknen ließ. Welche Idee einer Tänzerin, ihre
Tricots auf öffentlichem Platze aufzuhängen, wird
man im deutschen Vaterlande ausrufen! Hier, in
dem Lande freierer Natürlichkeiten, frappirte es
Niemand und auch ich war allmälig diese Helden-
that einer verwegenen Weiblichkeit gewohnt geworden.

Auf meinem Zimmer angelangt, hörte ich die
Nachbarin wieder trillern und singen. Es waren
endlose, jubelnde Cadenzen, die Ausbrüche einer
heiteren, leichtsinnigen Seele. Wunderbar! Weder
der Ruin des Theaters noch die Verkürzung ihrer
Gage, noch die Ungewißheit der nächsten Tage, vermochten einen einzigen Triller in der Kehle dieses
Geschöpfes zurückzuhalten. Das ganze, schwere
Pathos ihrer Lage überließ sie ungetheilt und voll-
wichtig dem Wirth, Signor Solano, der jetzt, seit-

dem die Schauspieler bei ihm wohnten, bald nachdenklich umherging, bald trüb hindämmernd vor
seinen Büchern saß, und die unsaldirten Rech-
nungen betrachtete, darauf gefaßt, von einer
traurigen Erfahrung eine heilsame Lehre an Zah-
lungsstatt anzunehmen.

Abends um sechs Uhr trat ich in den Speisesaal, das ganze Theaterpersonal, oder doch wenigstens die ersten Mitglieder desselben, saßen beisammen. Der Impressario mit der üppig um-
buschten tonsurartigen Glatze und dem Bonvivant-
gesicht führte den Vorsitz, neben ihm saß die Primadonna mit den Feueraugen — geschminkt bis
auf die Seele — weiter der Contra-Alt mit dem
Stumpfnäschen, der blasse Tenor von Buenos
Ayres und der hustende Baß-Buffo. Auch die
Ballerina war dabei, mit ihrem unzertrennlichen
Gefährten, dem Schooßhündchen, das bald einen
Spaziergang zwischen Teller und Gläser zu machen
hatte, bald in aufwartender Stellung zwischen
die zwei Blumenvasen postirt wurde, was sehr
komisch aussah. Ein Dutzend geleerter Flaschen
stand bereits auf der Erde, andere wurden eben
ins Gefecht geschickt. Monochoros fungirte als
Diener. Woher dies Festmal in so kritisch-drang-
voller Lage? Woher der dunkle Massala und die

Fluth von Bino spumante? Ein Deus ex machina hatte geholfen — der Fürst und Compositeur Poniatowsky aus Paris, der soeben auf seiner Villa nächst Intra eingetroffen war. Er hatte die Fortexistenz des Theaters wieder auf eine Zeitlang garantirt.

Das Schooßhündchen war vom Tisch herabgesprungen, hatte sich zu meinen Füßen gesetzt und bettelte in den possierlichsten Attituden. Gerührt und beinahe geschmeichelt, hielt ich ihm ein Stückchen Fleisch hin, aber kaum hatte es die Herrin gesehn, als sie auffuhr und zu ihrem Hündchen eilte.

„Was thun Sie da?" rief sie. „Wollen Sie das liebe Thier tödten?"

„Tödten? Um das zu können, müßte man ein Barbar sein!"

„Es darf aber kein Fleisch essen!"

„Einmal ist keinmal, es bittet so schön! Gönnen Sie ihm die Freude, Signora!"

„Wo denken Sie hin? Es hat noch nie Fleisch gegessen! Es würde krank werden!"

„Sie glauben?"

„Gewiß, gewiß!"

„Sollten sich wirklich auf dieser Welt alle Freuden so strafen?"

„Leider!" antwortete sie lächelnd und flog, den geretteten Liebling herzend und durch Küsse entschädigend, wieder an ihren Tisch zurück.

Am anderen Morgen that der Cameriere plötzlich meine Zimmerthüre angelweit auf, und drückte sich schnell an die Wand, wie wenn eine allerhöchste Person eintreten solle. Es war die Ballerina, nach pariser Mode aufs eleganteste gekleidet, die eintrat. Sie hielt einen Theaterzettel in der Hand und war gekommen, mich zu ihrer Beneficevorstellung, ihrer Serata, wie man es in Italien nennt, einzuladen.

Diese Aufmerksamkeit, unterstützt von ihrem wirklich prachtvollem Aussehen, schmeichelte mir ebensosehr, als sie mich erfreute. Ich konnte nicht umhin, ihr zu gestehen, wie ich die Umstände anklage, die mir nicht früher gestattet hätten, ihre schöne Nachbarschaft zu cultiviren.

Der Beneficeabend kam heran. Unfern von der Kasse, im Corridor, auf einem mit einem rothen Teppich bedeckten Tische, stand nach italienischer Sitte ein Kaffeebrett von plattirtem Silber, auf welchem die Opferspenden für die Beneficiantin niedergelegt werden sollten. Hier konnte Jeder, dem es mit dem Enthusiasmus Ernst war, Münzen von Silber oder Gold, oder noch besser ein

Bracelet, Ohrgehänge, ein Collier darbringen. Man
konnte den Juwelen auch seine Karte beilegen und
sich so als Spender bezeichnen, ohne befürchten
zu müssen, sein Geschenk refüsirt, vielleicht gar vor
die Füße geworfen zu sehen.

Man gab noch einmal den Rigoletto. Der
neue Tenor war etwas besser, als der erste, aber
die Signori Professori und Dilettanti im Orchester
schienen nichts Neues gelernt und manches, was sie
gelernt, wieder vergessen zu haben. Es hieß als
Entschuldigung: die Musik Verdi's sei gar so schwierig! Die Leute hatten noch immer keine Ehr-
furcht vor den Pausen, die der Cavaliere vorgeschrieben, und ebensowenig wollte sich ihre Geniali-
tät dem Taktstock fügen. Die Noten behielten ihre
störrischen Köpfe, die Musiker auch. Das Ballet
hingegen setzte mich in das angenehmste Erstaunen.
Ausstattung, Anordnung und Ausführung waren
vorzüglich; der italienische Geschmack fordert auf
diesem Gebiet mehr als der deutsche. Leicht wie
ein Luftgeist, schwebte Maria Carimali heran und
foppte ihre vier Liebhaber, einen Engländer, einen
Franzosen, einen Polen und einen Ungar durch die
reizendsten Pirouetten und die exorbitantesten Possen.
Ihre Feueraugen blitzten, ihr Busen wogte, ihr
pikantes, ausdrucksvolles Gesichtchen lächelte — sie

war die Anmuth selbst. Alles lebte an ihr, es war das feine, nervöse Leben einer Gazelle. Sie schien so glücklich auf der Bühne zu sein, tanzen zu können, glücklich, daß das Haus so voll war und sie so begeistert applaudirt wurde! Ihre Lieb- haber, um die holde Erscheinung zu gewinnen, entwickelten die ganze Beredsamkeit ihrer Beine. Einer sah so schön aus, wie der Andere und alle konnten sich, vielleicht mit Ausnahme des Englän- ders, einer gleichen Meisterschaft in der Tanzkunst rühmen. Endlich trug der Pole den Sieg davon, vermuthlich, weil er ein „edler" Pole, oder, wie man wenigstens nach seiner goldgestickten Jacke vermuthen durfte, weil er der reichste war.

Am andern Tage hielt mich Signor Solano, der Wirth, in der Hausflur an.

„Sie haben ja" sagte er „gestern ihrer hübschen Nachbarin einen Kranz zugeworfen?"

„Wäre das ein Verbrechen?" fragte ich.

„Keineswegs. Sie verdient ihn und er hat sie sehr erfreut. Sie zeigte mir ihn noch spät Abends. Indessen wäre ihr vielleicht ein Geldge- schenk lieber gewesen."

„Sie muß doch eine gute Einnahme gemacht haben?" ..

„Ich sollte es meinen! Ich habe aber wenig

davon. Bin schon mit der Rechnung bei ihr gewesen. Ewig Ausreden! Sie hat mir die gewöhnliche Vertröstung gegeben: Ich möge mich gedulden, bis ihr Freund ankomme. Sie erwartet ihn demnächst."

„Hat sie einen Freund?" fragte ich.

„Einen?" rief er höhnisch. „Viene da Milano!" (Da müßte sie nicht aus Mailand sein).

Er entfernte sich achselzuckend, vermuthlich verschweigend, was seiner Scepsis zu Grunde lag.

Wie es sich nun auch verhalten mochte, es war nun eine Pflicht der Höflichkeit, den Besuch der Signora durch einen Gegenbesuch zu erwidern und sich zu erkundigen, wie sie nach ihren Triumphen geschlafen. Ich ging die Treppen hinauf und pochte an die Thüre. Die Ballerina lag auf dem Sopha und las. Als sie mich eintreten sah, flog sie empor und warf das Buch weg — es war ein Roman von Paul de Kock. Sie dankte für meine Blumen und ich gerieth in's Erzählen von den fremden Tänzerinnen, die bei uns in Deutschland so unerhörtes Glück gemacht. Alles, sogar der Name der illustren Senora Pepita war ihr neu.

„Ich glaube, Signora", sagte ich zum Schlusse, „daß es nicht zu gewagt wäre, auch Ihnen zu einer Reise nach Deutschland zu rathen. Ihre Augen,

Ihre Arme, Ihr kleiner Fuß sprechen eine kosmopo-
litische Sprache, die vielleicht jenseits der Alpen
noch mehr entzücken wird, als hier. Die Siziliana,
die Sie so schelmisch tanzen, muß einen gleichen Er-
folg bei uns haben, wie der berühmte El Ole.
Alles darin ist neu und pikant. Es sollte Ihnen
nicht schwer werden die Rivalin Pepitas zu werden!"

Die Nachbarin lächelte schwermüthig.

„Ich werde" erwiderte sie, „nie Italien verlassen, wenigstens nicht während der kurzen Zeit, die
ich noch auf dem Theater verleben werde. Ich
habe einen Freund, einen Geliebten, ich darf wohl
sagen, einen Bräutigam. Sie sehen mich so verdrießlich, weil er so lange ausbleibt. Er ist freilich ein Geschäftsmann, der vielfache Abhaltungen
hat, dann aber sollte er mir doch schreiben."

Ich machte ihr ein Compliment über eine Liebe
und Anhänglichkeit, die in einer Lebenssphäre wie
die ihrige, selten ist, da sie die Tugend auf die
härtesten Proben stellt, und trauerte im Stillen
über einen Glücklichen, der mit solcher Sehnsucht
erwartet wurde, um Schulden zu bezahlen.

Wenige Tage später war der Erwartete wirklich eingetroffen. Es war ein Turiner Kaufmann;
ein hagerer, langer Vierziger mit blauer Brillen.
Er sah so bedächtig aus, so übersolid und verläß-

A. Meißner, Durch Sardinien.   5

lich, wie eine sorgfältig geführte Strazze. Sein
Habitus hätte jedem deutschen Philister zum Vor-
bilde dienen können. Ich machte seine Bekanntschaft. Sein Inneres harmonirte mit seinem
Aeußeren vollständig. Wohl erschien es bei ihm
auf dem ersten Blicke als eine Anomalie, daß er
ein mindestens um vier und zwanzig Jahre jün-
geres Mädchen und zwar eine Tänzerin liebe, aber
bei näherer Betrachtung löste sich die Bewunderung
darüber auf das Naturgemäßeste auf. Eine Anomalie wäre es gewesen, wenn sich dieser Philister
in eine Tänzerin verliebt hätte, um sich mit ihr
einige Zeit zu amüsiren. Eines so tollen Beneh-
mens wäre er nicht fähig gewesen, aber sie lieben,
versorgen, ausstatten, heirathen, das widersprach
seiner Natur nicht, sondern zeigte sie vielmehr in
ihrer ganzen Verbissenheit. Er fühlte sich berufen,
sogar dem Typus des Leichtsinns und der Frivo-
lität den Stempel seiner eigenen Solidität und
Gesetzmäßigkeit aufzudrücken. Zweimal brachte ich
den Abend mit dem Ehrenmann und seiner Braut
zu. Die Ballerina sang, lachte, schäkerte, rauchte
Ringel, rauchte durch die Nase, trieb tausend Possen. Von uns Beiden weiß ich nicht, wer ein
schöneres Beispiel edler Selbstbeherrschung, mora-
lischer Würde gegeben.

Da hatte eines Tages die ganze Theaterwirth-
schaft ein Ende. Der Geliebte hatte die Rechnung
der Freundin zur Freude des Wirths als die sei-
nige anerkannt und wie schon oft, den Ernst und
die Tiefe seiner Neigung mit Napoleons dargethan.
Eine lustige, buntbewimpelte Barke trug das lie-
bende Paar dem österreichischen Ufer zu — ich
stand auf dem Balcon und sah nach. Die übrigen Mimen kamen fort, wie sie eben konnten.

———————

5

Sechstes Kapitel.

Varallo in Val di Sesia. — Sacchi der Schmugler und Führer. — Der Virtuose und seine Mutter. — Banio di Ponte Grande.

Der Mai war da, ein prachtvoller Mai. Ich wohnte seit ein paar Wochen zu Varallo, einem kleinen Städtchen in den piemontesischen Alpen. Inmitten einer grandiosen Natur, in allem Komfort eines guten Hotels, lebte ich in tiefster Abgeschiedenheit meinen Arbeiten, ohne daß auch nur ein Laut aus der Heimath zu mir herüberscholl, oder auch nur ein Bekannter wußte, wo ich mich befände.

So da zu sein, losgebunden von Allem, hat seinen melancholischen Reiz. Es ist, als wäre Nichts mehr unser, man gehört Niemandem mehr an, nur sich selbst. Die Tage kamen und gingen, ohne daß ich sie zählte.

Varallo ist der Hauptort im Val di Sesia. Die alten Häuser, halb über dem Bergstrom hän-

gend, die vielen Kirchen und die üppig bewaldeten
Höhen des Monte Sacro geben der Stadt einen
eigenthümlichen Charakter. Der Monte Sacro
selbst ist eine Berühmtheit, die alljährlich Tausende
von Pilgrimen herbeizieht; man sieht dort nebst
einer großen Kirche mindestens fünfzig größere
Kapellen. Jede enthält modelirte Figuren in Ter-
racotta, alle bemalt und mit wirklichen Stoffen
bekleidet. Manche Darstellungen sind in ungeheue-
rem Maßstabe ausgeführt; man sieht sechzig, vielleicht hundert Personen beisammen. Die Wirkung
vieler Gruppen, in welchen man den Figuren nicht-
nur wirkliche Kleider, sondern auch natürliche Haare
gegeben, ist frappant; das künstlerische Scheinleben
einerseits, die leichenartige Starre andererseits, er-
zeugen durch ihre tolle Vereinigung den eigenthüm-
lichsten Eindruck. Wohl an keinem anderen Wall-
fahrtsorte sind die Bilder so kolossal, was sie aber
vor Andern noch besonders auszeichnet, ist, daß sie,
theilweise mindestens, von bedeutenden Künstlern
stammen. Ein bethlehemitischer Kindermord zum
Beispiel, mit wenigstens sechzig lebensgroßen Gestalten, die an der Wand gemalten nicht mit eingerechnet, ist von größter Wirkung: die Figuren
sind von Fiamingho, dem berühmten Skulptor
von Kindergestalten, die Fresken von Gaudenzio

Ferrari. Dieser, einer der talentvollsten Schüler Raphael's, ist unfern, im Bal Duggia, geboren.

Der Zug der Reisenden hatte noch nicht begonnen; ich war lange der einzige Gast im Hotel. Endlich hatte sich ein Zweiter eingefunden, es war ein junger russischer Maler, der im Auftrage eines Fürsten einige Gruppen des Monte Sacro kopiren sollte. Es war ein junger schweigsamer Mensch, der nur für seine Kunst zu leben schien. Wir saßen einander wochenlang bei Tische gegenüber, ohne daß wir uns etwas Anderes als „guten Tag" oder „gute Nacht" gesagt hätten.

Eines Abends, als unser Mittagstisch bald vorüber war — wir waren nämlich bereits bei der Suppe, mit welcher nach piemontesischer Landessitte das Mahl beschlossen wird — nahm der junge Russe mit einigen Worten von mir Abschied. Er sei, sagte er, mit seinen Skizzen fertig und wollte einen Ausflug zum Monte Rosa machen. Ich wußte nicht, daß dies großartige Gebirge, das ich so oft schon von verschiedenen Seiten gesehen, binnen einer Tagereise zu erreichen sei. Ein Wort gab das andere. Auch ich war mit einem Abschnitt meiner Arbeiten zu Ende gekommen und hatte rasch den Entschluß gefaßt, an der Parthie Theil zu nehmen. Schon morgen wollten wir der träu-

merischen Ruhe und allen Bequemlichkeit des Hotel-
lebens entsagen, den eisenbeschlagenen Gebirgsstock
zur Hand nehmen und über die Bergkette, die das
Thal der Sesia begrenzt, in die Valanzasta hin-
überwandern.

Der „Falkone nero" in Varallo ist ein vortreff-
liches Haus. Mitten in den Gebirgswüsten, unter
einer außerordentlich armen Bevölkerung, in schnei-
dendem Kontrast mit den zerfallenden Häusern
und Hütten, stehen die Gasthäuser drei- und vier-
stöckig da, mit englischem Komfort ausgestattet und
mit Küchen versehen, die das feinste Mahl nach
Belieben französisch und italienisch bereiten. Diese
Gasthöfe sind eine englische Schöpfung zu nennen,
denn nur Engländer, diese unermüdlichen Reisenden,
sind ihre Besucher. Nur selten verirrt sich, wie die
Fremdenbücher auf's Klarste beweisen, ein Deutscher
oder ein Franzose hierher. Schaarenweise aber,
vom Juli an bis Oktober, treffen die rothhaarigen
Insulaner ein, ruhen eine Nacht nach den furcht-
barsten Tagemärschen und gehen dann weiter.
Wollene Hemden am Leibe, an den Füßen ungeheuere Schuhe, deren nägelbedeckte Sohlen wie ein
kleines Straßenpflaster aussehen, steigen sie über
die unwegsamsten Pässe und bringen ihre Führer
zur Verzweiflung. Ganze Monate lang durch-

kreuzen sie eine Alpenkette nach allen Richtungen,
und bleiben in einer weltfernen Einsamkeit, die
keine Spielbank, keinen Corso, keine Zerstreuung,
nur großartige Naturschönheiten zu bieten hat,
deren Anblick durch Schweiß und Gefahren erkauft
werden muß. Wie man auch über einzelne englische Reisende lächeln mag, man muß doch einräu-
men, daß dieser Nation im Ganzen ein tiefer poe-
tischer Sinn und eine wahre Empfänglichkeit für
das Naturschöne innewohnt. Wie sie die Meere
ergründen, den Himalaya und das Mondgebirge
erforschen, so sehen wir auch denselben Entdeckungs-
trieb dort wirken, wo augenscheinlich Nichts mehr
zu entdecken ist. Die Engländer waren die Ersten,
die vielen schweizer Gebirgsparthien, an benen die
Postkutsche Jahr aus, Jahr ein unwissend vorüber-
fuhr, zur Berühmtheit verholfen haben. Vor fünfzehn Jahren kam selten ein Reisender vom Lago
Maggiore weiter als nach Orta, äußerst selten bis
Varallo, und doch gehört das Val di Sesia zu
bem Reizendsten und Bezauberndsten, was Europa
hat, und übertrifft meiner Meinung nach die schönsten Thäler der Schweiz. Engländer waren es
wieder, die auf Bergpfaden von neunstündiger
Länge in das Valanzaska eindrangen, in ein
wahrhaftes Stück vom Paradiese, in welches vor

einigen Jahren noch keine Straße führte und deſſen
Einwohner, von aller Welt abgeſchloſſen, über den
Rücken von Schneegebirgen und an ſchwindelnden
Geröllabhängen hinabklettern mußten, wenn ſie
Etwas einkaufen wollten, was ihr Boden nicht lie-
ferte. Die Valanzaska hat ihre große Zukunft
noch nicht angetreten, ſie iſt der Touriſtenwelt faſt
noch neu, und doch iſt ſie in ihrer Art ebenſo gran-
dios und erhaben, wie der Monte Roſa, der ſie
abſchließt, und der, wenn auch dem Montblanc
nicht ebenbürtig, doch ſein nächſter Rivale iſt.

Es war neun Uhr Morgens, als wir in Varallo nach beendigtem Frühſtück auf dem Balkon
ſaßen und nur den Führer erwarteten, den uns
der Wirth empfohlen. Der Erwartete blieb lange
aus. Ungeduldig forderten wir einen neuen. Eine
Weile darauf wurde uns ein Mann von ungefähr
vierzig Jahren vorgeſtellt, ſchwarz wie ein Kabyle,
blatternarbig, mit wild hervorglotzenden Augen,
einer eingedrückten Naſe und einem frechen, kröten-
artigen Maule. Trotz dieſes Ausſehens ſollte er,
wie der Wirth verſicherte, der gemüthlichſte und
rechtſchaffenſte Menſch ſein. Es mochte ſein —
unwillkürlich aber revoltirte ſich unſer Inneres bei
dem Gedanken, in der Geſellſchaft eines ſolchen
Unholds, neun Wegſtunden durch die Einſamkeit

eines ohnehin düsteren Gebirges zu machen. Wir
nahmen ihn nicht und zogen vor, die Ankunft des
Andern abzuwarten.

Wir warteten lange, ohne daß wir uns darüber
ärgerten. Es sitzt sich so schön in angenehmer
Landschaft, und die Vorübergehenden halfen uns
die Zeit vertreiben. Es war der Samstag vor
Pfingsten, schaarenweise zogen die Wallfahrer mit
ihren Fahnen den Monte Sacro hinan. Ihre Lita-
neien ertönten.

Es wurde fast Mittag, ehe der erwartete Führer
eintrat. Er war ein Mann von etwa sechsund-
dreißig Jahren und nicht so stark, als daß wir es
nicht im Nothfalle mit ihm hätten aufnehmen können. Er war so spät erschienen, weil er bei der
Beichte gewesen. Er war früher Goldminengräber
und Schmuggler gewesen, und war jetzt Führer und
Bote geworden, was auf eine Sänftigung seiner
Sitten deutete. Sein Name war Pietro Sacchi.

Mit Gebirgsstöcken versehen, brachen wir auf.
Sacchi trug unsere Shawls und einigen Proviant,
aus einer Hammelkeule, etwas Brot und Wein be-
stehend, denn auf unserer neunstündigen Tour gab
es keine Osteria, kaum ein Dorf. Eine Weile später war Varallo und die silberne Sesia aus unseren
Augen.

Durch einen tiefen Gebirgseinschnitt, auf einem schmalen Pfade ging es hinan und hinan. Die Scenerie, die immer wechselte, ließ weder die Last und Hitze noch die Dauer der Steigung schwer empfinden. Ein neues Thal eröffnete sich nach dem anderen, wir verließen eine zerrissene Schlucht mit schäumenden Bergwässern und traten in eine andere, die rechts ein von der Höhe fallender Bergstrom durchschnitt, während links ein von unermeßlicher Höhe herunterdampfender Staubbach über schwarze Felsmassen den zartesten, durchsichtigsten Schleier wob, den ich jemals gesehen. Wir stiegen höher und höher und doch kamen wir den Gipfeln der Schneeberge nicht näher, sondern sahen sie, Schritt für Schritt kühner nnd beschneiter in die Lüfte emporragen.

Nach mehrstündigem Marsche ruhten wir auf einer Felsestrade aus. Es war so still und einsam, der Abgrund vor uns war so tief, man hörte seine Wasser gar nicht heraufrauschen. Kein lebendes Wesen war uns begegnet, keins war in der Nähe, keines Waldvogels Lied, kein Schritt der Ziege im Gesträpp, keine Glocke, die das Alpenvieh verkündet, war zu vernehmen. Sinnend und tiefathmend lagen wir da, in jenes Träumen versunken, zu welchem das durch kein menschliches We-

sen gestörte Naturleben eines schönen Sommertages
einladet.

Endlich zogen wir weiter. Bei dem ewigen Steigen kam uns der sonst milde Tag schwül vor, wir ra-
steten oft an den Berquellen und tranken aus unseren Filzhüten. So kam die sechste Stunde heran.
Wir waren seit Mittag sechs Stunden gegangen,
hatten aber leider bei unserem häufigen Ausrasten
und Naturbeschauen nicht sechs Wegstunden zurückgelegt. Zu unserem unangenehmsten Erstaunen
sagte uns der Führrr, daß wir die Hälfte des Weges noch nicht hinter uns hätten. Vergebens suchten wir es zu forciren. Die Nacht brach herein und
es war, abgesehen von der Erschöpfung, nicht recht
rathsam, im Dunkeln weiter zu wandern. Wie überraschend bequem auch der Gebirgspfad bei Tage
ist, so unsicher geht es bei Nacht an manchen
Krümmungen über die großen, in Rundform aus-
gewaschenen Steine, die sich von den ewig zerbröckeln-
den Felswänden losgelöst haben und zum Theil
den ganzen Weg bedeckten. Die wenigen zerstreu-
ten Hütten, denen wir jetzt nahten, waren in der
That wenig einladend und wir wären auch an ihnen
vorübergegangen, wenn wir nicht unversehens in
einen Morast gerathen wären, der uns die Schuhe
mit Wasser füllte.

Nach langem Debattiren führte uns Sacchi auf einem gewundenen Pfade auf die Spitze eines mäßig hohen Felsenkegels, wo das Haus einer gewissen Bonavetti stand. Eine alte Frau, abgekümmert, in der gebrochenen Haltung, die ewiges Steigen und schweres Tragen zurückläßt, empfing uns, freundlich bereit, uns zu beherbergen, wie wir aus ihren Mienen ersahen, denn ihr Dialekt mochte auch einem geborenen Italiener schwer zu enträthseln sein. Seit funfzehn Jahren wohnte sie hier mit ihrem Sohne allein, ihr Mann hatte sich nach Rom begeben, um dort sein Glück zu machen und hatte versprochen, seine Familie nachkommen zu lassen, aber bis zum heutigen Tage war nichts von ihm mehr zu hören gewesen. Allgemein in diesen Bergen herrscht die Auswanderung der Männer nach Rom und Spanien, wo sie sich meistens als Wirthe und Kaffetiers etabliren. Die Dörfer der Gegend sind daher von Müttern und alten Weibern bewohnt, die zurückbleiben, als mit ihrem Schicksal fertig und ohne weitere Chancen des Lebens. Fünfzehn Jahre lebte die alte Bonavetti ohne ihren Mann, und auch die Gesellschaft ihres Sohnes hatte sie nur einem Unglück zu danken. Er war vor einigen Jahren in eine Tiefe gestürzt, hatte das Bein gebrochen und in Folge der Gehirnerschütterung seinen Verstand völlig verloren. Er war nun ein blödsinniger Krüppel, der in einer Kammer verschlossen gehalten werden mußte und Tag und Nacht heulte.

Wir traten in die Baracke ein — die Stube war grau, niedrig, elend, ein Kerkerloch, mit wenig morschen Geräthschaften ausgestattet. Wir setzten uns an den Tisch. Die Frau brachte uns etwas Milch, das Einzige, was sie uns zu bieten hatte und wir schlürften sie zu dem Reste des Proviants, den wir von Varallo mitgebracht hatten. Wir plauderten über das schreckliche Nachtquartier und waren entschlossen, unser Obdach nur als eine Stätte zu betrachten, wo wir den Morgen abwarten wollten. Ein paar Stunden nur wollten wir versuchen, auf zwei aneinander geschobenen Stühlen zu schlummern.

Mit brennender Cigarre und bei gutem Humor verließen wir das unheimliche Quartier, um noch eine Weile im Freien zuzubringen. Die Nacht war so mild und der Himmel so schön gestirnt. Eine kleine Strecke von dem Hause, fast am Rande des Abgrundes, nahmen wir auf einem der Steinblöcke Platz. Die Berggipfel sahen gespensterhaft herunter, die Abgründe bedeckte eine geheimnißvolle Finsterniß. Die Leblosigkeit, die Erstarrung, der

Tod war bei dem zweifelhaften Dämmerlicht der
Sterne wie verkörpert zu sehen, und nur durch das
Geräusch der ungestüm und wild schäumenden Berg-
wasser schien diese stumme, gigantische Natur Leben
kund zu thun und nach Sprache zu ringen. Trotz
der fühlbaren Schärfe der Nachtluft, die von den
Schneefeldern herabwehte, blieben wir lange auf
dem Flecke sitzen. Eben waren wir aufgestanden,
um in die Stube zurückzukehren, und einige Schritte
gegangen, als in unserer nächsten Nähe ein from-
mes Adagio auf der Geige eines entsetzlichen Stüm-
pers ertönte. Ueberrascht thaten wir einige Schritte
vorwärts.. Hinter einem Dickicht am Wege saß
der Virtuose, seine Geige kratzend, etwas stoß-
weise murmelnd, und ein Bein, das bis ans Knie
entblößt und dabei krumm und geschwollen war,
emporstreckend. In diesem Augenblicke kam die
alte Bonavetti herbeigelaufen und jagte den Musiker, ihn unsanft anpackend, von dannen. Dieser,
ein erwachsener, fast klaftergroßer Mann, raffte sich
schnell auf und humpelte in eiligen Sätzen davon.
Es war ihr Sohn, der Krüppel, der unschäd-
liche Narr. Seit er seinen Sturz gethan, war er
zu Nichts zu verwenden und verstand nichts, als
auf Kirchenplätzen zu geigen und sein Bein zu zeigen. Er hatte in seiner Kammer uns Fremde be-

merkt und war, ohne das Unpassende der Zeit und
des Ortes zu fühlen, hinausgekommen, um einige
Soldi zu verdienen.

Wir hatten die Nacht ziemlich schlaflos überstanden und brachen um vier Uhr wieder auf. Der
Morgen war so kalt, daß wir uns fest in unsere
Shawls einwickeln mußten. Kaum waren wir den
steilen Fußpfad von dem Felskegel, auf dem die
Hütte der Bonavetti stand, herabgekommen und
einige Schritte auf flachem Terrain gegangen, als
wir den Narren schon wieder auf einer Stelle pla-
cirt, an der wir vorübergehen mußten, zu Gesichte
bekamen. Er hatte sein Adagio wieder begonnen.
Bei Lichte betrachtet, war er, ich weiß nicht, ob ein
mehr Mitleid oder Abscheu erregendes Wesen. Wie
zäh die Gewinnsucht alle seine übrigen Geistes-
funktionen überlebte, war interessant. Wir war-
fen Etwas in seinen Hut und bedauerten die
Mutter.

Wacker ausschreitend erreichten wir Banio, das
erste Dorf der Valanzaska, von wo aus man nur
ein Viertelstündchen nach Ponte grande herabzu-
steigen hat.

Siebentes Kapitel.

Denio di Ponte-grande. — Die Val Anzasca. — Arme Landsleute. — Der Monte Rosa. — Ein Liebesroman.

Noch heute lacht mir das Herz, wenn ich des
ersten Blickes gedenke, den ich damals von der
Höhe herab warf. Ich stand über dem sich auf
diesem Punkte erweiternden Kessel der Valanzaska,
des mächtigen Thales, das von der Hochebene von
Duomo d'Ossola sieben Stunden Weges hinansteigt
bis zum Fuße des Monte Rosa. Eine Landschaft
lag unter mir von so paradiesischer Schönheit, wie
man sie nur zuweilen im schönsten Traume erblickt.
Welche Fülle der Vegetation, welches zauberische
Grün! Noch nie hatte ich Nußbäume, Platanen
und Eichen so groß und mächtig, noch nie den
Teppich der Wiesen so grün und blumig gesehn.
Jeder Fels grün mit Moosen und rankendem
Epheu bekleidet, kleine Wässerchen überall, die
kaskadenartig herabfielen, um sich im Bette der
unten tosenden Anza zu begegnen. Hier und dort

82

auf den sonnigen Höhen kleine Häusergruppen,
malerisch in blühende Obstbaumwäldchen versteckt,
höher noch einsame Sennen, die schneebedeckte Nach=
barkette des Monte Rosa im Hintergrunde und
über Alles der tiefblaue, von keiner Wolke belebte
Himmel. Es war Pfingstmontag, in Banio läu=
teten die Glocken, geputzte Kirchengänger zogen
den Berg hinan, die Bursche in schneeweißen Hemd=
ärmeln, die Jacke vor der Brust, die Bauernmäd=
chen mit einem weißen Schleier über dem Haar.

Die schlechte Nacht bei der alten Bonavetti
war vergessen; jubelnd, entzückt, von der mailichen
Schönheit der Natur trunken, stiegen wir hinab,
gingen über den schwankenden Steg, der auf
Stangen das felsbedeckte Bett der weißschäumen=
den Anza läuft, und kamen im Albergo del Ponte
grande an.

Neben der alten Schenke der Maulthiertreiber,
ist auch hier seit Kurzem ein prachtvolles Frem=
denhotel entstanden. Wir nahmen ein Frühstück
ein, machten noch einen Ausflug nach dem auf der
Höhe liegenden Dörfchen Anzino, und setzten uns
Abends in dem Speisesaal zu einer wahrhaft splen=
diden Tafel nieder. Der Vino spumante von Stra=
della schmeckte uns trefflich.

Wir gingen früh schlafen, um morgen, wo es

eine große Tour zu machen galt, bei Kräften
zu sein.

Die Chaussee, die Carl Albert mit großen
Kosten von Vogogna aus in die Valanzaska ge=
führt hat, endet bei Ponte grande. Nur ein Saum=
thierpfad führt von hier, ziemlich rauh und be=
schwerlich, meist an dem hohen Ufer der entgegen=
schießenden Anza hinauf. Das Thal wird von
zwei ungeheueren Gebirgszügen gebildet, die sehr
nahe zusammengerückt sind, und immer höhere Berge
koulissenartig vorschieben. Wie mit der Absicht
äußerster künstlerischer Steigerung wird das Gran=
diose immer grandioser, bis man vor einem der
höchsten Gipfel steht, die Europa uns zeigen kann.

Früh, nicht lange nach sechs Uhr, brachen wir
auf. Ein lichter Nebel lag noch im Thal, aber
der Tag versprach so schön zu werden, wie der
gestrige gewesen. Noch war es so kalt, daß wir
uns in unsre Shawls wickeln mußten; Sacchi,
unser Führer, ging unbelastet voran und, vertrau=
licher geworden, fing er zu erzählen an. Er fand
sich wieder auf dem Schauplatze seiner Jugender=
innerungen. Ueber die beschneiten Berge, die vor
uns emporragten, über die diamanthell blitzenden
Eisfelder war er einst als Schmuggler gegangen.
In Zügen von fünfzehn, zwanzig und mehr klet=

6*

tern diese verwegenen Leute mit ihren Waarenballen auf dem Rücken, über die furchtbaren
Berge, die die Schweiz von Piemont trennen.
Keine Nacht ist für sie zu dunkel, im Winter gehen
sie mit Schneeschuhen und setzen ihr Leben fast täglich auf's Spiel. Einzelne Felszähne, eingeschlagene
Stangen und Tannenbüschel, in den Schnee gesteckt, geben ihnen die Richtung an, ja sie gehen im
Winter und bei Nacht am liebsten, weil ihnen da
kein Gensdarm nachkommt. Sacchi war acht Jahre
lang bei einem Kaufmanne eines benachbarten
Dorfes im Dienst gestanden, der das Schmuggelgeschäft im Großen trieb und dadurch sehr reich
geworden war; doch hatte dieser seine frühere Le-
bensweise in keinem Punkt verändert, und wußte
selbst seine nächsten Nachbarn zu täuschen. Eines
Tages rief er Sacchi herbei und sagte ihm: „Du
bist ein kluger Mensch und, wie ich weiß, mir treu
ergeben. Du wirst Grenzwächter werden. In dieser Eigenschaft kannst Du mir noch mehr nützen
als bisher." Sacchi machte Einwendungen, aber
Signor Prokopio — so hieß der Kaufmann —
wollte keine Einwendung hören. Alle Vorbereitungen waren schon zu seiner Standesveränderung
getroffen, und ein paar Wochen später war er bereits im Dienste des Königs. Jahre gingen hin,

immer einträglicher wurde das Schmuggelgeschäft. Prokopio nahm immer mehr Leute in Sold, da änderte sich mit einem Schlage das Gemüth des Mannes. Es mochte ihm einfallen, daß sein Reichthum werthlos sei, wenn er ihn nicht zeigen dürfe, und, wie er früher sich arm gestellt, so prunkte er jetzt mit seinem Gelde, stattete seine Töchter fürstlich aus, fing an, ein großes Haus zu bauen und kaufte Felder und Wiesen. Da wandte sich plötzlich sein Glück, die Waaren wurden ihm weggenommen, er selbst bald darauf verhaftet. Mit einer Kette am Fuße sitzt jetzt Prokopio im Arbeitshause, sein Hof ist verkauft, sein Name entehrt, auf Hab und Gut seiner Töchter und Schwiegersöhne scheint ein Fluch zu liegen. Wenn er von Turin zurückkommt, wird er ein Bettler sein.

Unter solchen Erzählungen kamen wir bis nach Ceppo Morelli, einem ansehnlichen Dorfe mit einer Kirche. An der Thür hing, wie an der eines Theaters, eine Tafel mit der Inschrift: „Absoluzione generale" in großen Lettern. Züge von Wallfahrern kamen unter Absingung von Liedern herbei.

Nachdem wir zwei Stunden gegangen, passirten wir die Anza auf einer hochgeschwungenen Brücke und stiegen einen Bergabhang jäh hinan. Die

Vegetation auf den Gebirgsketten zu beiden Sei-
ten hatte ihren Character ganz verändert, statt des
Laubwaldes erschienen Föhren, gruppenweise von
Lärchen durchmischt. Bosquette strauchartig aufge-
wachsener Alpenrosen lagen zu beiden Seiten des
Pfades.

Allmälig kamen wir in das Bereich der Gold-
minen von Pestarena. Hier oben liegt ein kleines
Kalifornien, das schon den Römern bekannt gewesen sein soll, und zuverlässig schon seit dem siebzehnten Jahrhundert ausgebeutet wird. In neuerer
Zeit sollen diese Minen ziemlich wenig liefern, doch
werden noch mehrere hundert Grubenarbeiter be-
schäftigt. Man hört Mühlen klappern, Wasser-
werke schlürfen, Schmieden hämmern. Blasse,
hagere, verkümmerte Gestalten tragen Kübel mit
kleingeklopftem Gestein auf den Köpfen. Die Gegend ringsum ist öde, wüst, zerrissen, aber mächtiger und immer mächtiger tritt im Hintergrunde
die Kette des Monte Rosa hervor.

Wir waren bereits an die fünf Stunden gegangen. Eine kurze Rast in einem einsamen, auf
einem Felskegel stehenden Wirthshause, Albergo
delle Miniere, ausgenommen, hatten wir nicht
Halt gemacht. Die Sonne stand hoch und brannte
heiß auf unsere Scheitel herab. Da erweitert sich

das Thal, eine vom Hochgebirge eingeschlossene hellgrüne Wiesenfläche mit einer Häusergruppe in der Mitte wird sichtbar. Wir sind in Macugnaga dem letzten Orte der Valanzaska.

Es läßt sich nicht leicht etwas Trostloseres denken, als diesen Knäuel schwarzer, niedriger Hütten, vierzig oder fünfzig an der Zahl, von denen die eine Hälfte eine kleine Gasse bildet, die andern hin und her verstreut sind. Den ganzen langen Winter hindurch ist, wie uns Sacchi erzählte, von dem Dorfe Nichts zu sehen, selbst der First der Dächer ist im Schnee vergraben, die Einwohner wühlen sich einen Weg durch die Dachlucken heraus. Dann leben sie wieder Tag und Nacht im Finstern. Damit sie im Frühjahr beim Schmelzen des Schnees nicht zu sehr von Nässe leiden, steht jede Hütte auf Pfosten. Hier und da war einer der Pfosten eingesunken, und das ganze Haus stand schief. Wir gingen durch die Gasse — jede Thür verschlossen, kein Wesen hinter den kleinen, matten Scheiben, das ganze Dorf menschenleer! Nur eine hagere, schwarze Katze sahen wir über den Weg laufen und durch eine Lucke verschwinden.

Wir rückten den Bergriesen immer näher. Zu unserer Rechten erschien der Monte Moro, jetzt noch ganz schneebedeckt, links ebenso blendendweiß der Turloz. Ueber den ersten geht ein Weg, beschwerlich und gefährlich, nach Saas hinüber, der letztere ist fast unübersteigbar. In der Mitte, vor uns, lag in einer, jede Phantasie überbietenden Erhabenheit, der Monte Rosa da, seine noch unerstiegene Zackenkrone grell gegen die dunkle Bläue des Himmels abstechend, seine Eisfelder so hell blinkend, daß das Auge den Glanz kaum ertrug. Kleine, leichte, sonnengoldburchglühte Wolken schwebten um den Gürtel des Bergriesen, und gaben dem Auge ein ungefähres Maaß seiner Höhe. Der Eindruck ist größer als der, den man vor dem Montblanc erhält; denn wenn der Monte Rosa jenem auch etwas an Höhe nachsteht, so steigt er dafür höher und freier in die Lüfte und präsentirt sich mit einer breiten Fronte.

Wir waren noch in der Anschauung versunken, als ein kleines, tief gebeugtes Mütterchen mit einem Korbe auf dem Rücken uns entgegenkam. Sie war das einzige Wesen, dem wir seit mehr als einer Stunde begegnet.

Ich hielt sie an. „Signora," fragte ich, „wo stecken denn die Bewohner des Dorfes, das ich so unbegreiflich öde gesehen?"

Die Alte blieb stehen und sagte mit tiefbekümmerter Miene: „Ich spreche nur deutsch."

„Deutsch?" fragte ich überrascht. „Hier in Piemont nur deutsch?"

„Nur deutsch," versetzte die Frau. „Die ganze Gemeinde ist deutsch."

„Und wie seid ihr hierhergekommen?" fragte ich mit neuem Erstaunen.

„Wir sind," gab die Frau zur Antwort, „verjagte Lüt (Leute) und schon seit unbenklicher Zeit hier."

„Ich sehe," begann ich wieder, „auch von den wenigen Leuten Niemand außer Euch. Wo sind die Leute?"

„Sie sind fort," antwortete sie, „in den Wäldern, in den Minen. Auch gibt es nur wenig Männer hier in Macugnaga. Alle sind in der Welt, in Rom, in Spanien, um ihr Glück zu machen. Nur wir Frauen bleiben zurück und einige alte Leute — es ist hier gar zu traurig."

„Und sprechen Eure Kinder auch deutsch?" fragte ich.

„Freilich, freilich, Alle," sagte sie. Erst später lernen sie das Italienische. Wir Alten können es gar nicht und brauchen es nicht, da wir aus dem Thal nicht herauskommen."

„Welche Religion habt Ihr?" fragte ich. Die Alte schien diese Frage gar nicht zu verstehen, als ob es nach ihrem Dafürhalten nur eine Religion geben könne.

„Seid Ihr katholisch?" erklärte ich mich näher.

„Katholisch, ja freilich, katholisch," antwortete die Alte.

„Ihr leidet wohl viel im Winter?"

„Ach du lieber Himmel, alle Häuser sind eingeschneit bis über die Dächer. Da leben wir schlecht, müssen täglich und täglich schaufeln, um zu einander zu kommen, können oft Wochen lang nicht heraus, sind in Todesgefahr zu erfrieren, zu verhungern, verschüttet zu werden."

„Und der Winter dauert wohl sehr lang?"

„Lang, lang! Sieben Monate oft, sieben lange Monate! Er beginnt schon im September, aber im März, im April, wenn der Schnee aufgeht, wenn die Lawinen fallen, wenn die Wildbäche die Wiesen überschwemmen, da ists am schrecklichsten."

„Wie viel seid Ihr?"

„Nicht viel mehr. Ein paar Hundert nur. Alles zieht fort. Das Leben ist hier gar zu bös. Einige Thyroler und Schweizer sind zu uns gekommen, Macugnager, wirkliche, gibt's wenig mehr. Wem's besser in der Welt geht, kommt nicht wieder, hat er auch Weib und Kind daheim."

Ich wußte nichts Tröstendes zu sagen; ich zog

die Börse und machte der Alten ein kleines Geschenk. Sie sah es froh erstaunt an und sagte
dann: „Grazie tante!" Es war das einzige italienische Wort, das ich von ihr hörte; als ich ihr
etwas gab, schien ich ihr wieder der Fremde der
Signor zu werden, mit dem sie italienisch zu
sprechen habe.

Ihr Deutsch war auffallend rein, ohne die
schweizerischen Kehllaute, aber es hatte etwas Alter-
thümliches in den Formen, wie aus alten Büchern.
Hier in der Erzählung kann ich dies leider nicht
wiedergeben.

Dieß war die erste deutsche Unterredung, die
ich seit Monaten gehabt*). Ich gestehe, daß mir
das Herz dabei etwas schneller klopfte. Es ist so
rührend, fern von der Heimath, von dem Mitgliede
einer so armen Gemeinde, ein Wort in der Mutter-

---

*) Erst später fand ich folgende Notiz. Die südlichen
Abhänge des Monte Rosa, des Sesia- und Anzascathal
sind von deutschen Stämmen bewohnt, dem sich erst in den
Voralpen die Italiener beigesellten. Die Silvier, wie man in
neuester Zeit diese verschlagenen deutschen Stämme genannt
hat, scheinen wallisischen Ursprungs (Agassiz, Alpenreisen)
oder vielmehr, sie scheinen mit ihren Sprachgenossen im Wallisischen und Uechtland dem Stamm der Burgunder anzugehören. A. Schott hat über diese „Deutschen am Monterosa
eine eigene Schrift geschrieben. (Zürich 1840).

sprache zu hören. Es kam so plötzlich, so unerwartet und überraschend. Diese Leute sind einsamer, verlassener hier, als irgend welche deutsche Auswanderer in den Wäldern Amerikas oder Australiens! Wenn ich ein deutscher Fürst oder auch nur ein deutscher Millionär wäre, ich würde dieser Leute gedenken. Es müßte jedes eingestürzte Haus sein neues Dach, ja jede Hütte ihre Kuh erhalten.

Wir wanderten weiter, denn wir hatten die Absicht, bis an die Gletscher zu steigen, die nur ein Büchsenschuß weit von uns dalagen. Unglaublich mühsam ist aber der Weg. Man steigt über Hügel von Blöcken, mauerartig aufgethürmte Barrieren, die die früheren Grenzen des Gletschers bezeichnen. Andere Felsstücke sind von den Lavinen herabgeführt worden, oder haben sich von der ewig thauenden Felswand des Kessels abgelöst. Es gibt würfelförmige Stücke von der Größe eines Hauses darunter. Unter einem dieser Riesenblöcke ist eine Hütte in die Erde gebohrt, ein eisernes Kreuz auf der Spitze, bezeichnet die Katastrophe einer unglücklichen Familie.

Bei dem Gang durch diese erhabene Zerstörung, in dieser großartigsten aller Einöden, ist einem so fremd, so seltsam zu Muthe, wie wenn man in einen Gebirgskessel des Mondes oder des Jupiter

umherstiege. Man muß die Scenerie zuerst beinahe
ertragen lernen, und sich durch einen rüstigen Akt
des Geistes Muth zaubern, um sich das grandiose
Schauspiel zum interessanten Genusse zu unter-
werfen.

Wir kamen bis an den Ursprung der Anza,
die hier milchweiß floß, und hätten nur ihr schma-
les Bett zu durchschreiten gehabt, um an den
Gletscher zu gelangen. Eben suchten wir auf den
glatten, wie polirten Steinen den passendsten Ueber-
gangspunkt. Da donnert es mit furchtbarem Ge-
töse — wir blicken empor — Schnee und Felsstücke fliegen fast bis vor unsere Füße, während
ein Theil der Lawine noch in der Luft hängt und
dichter Schneefall langsam nachstöbert.

Der Gletscher befand sich offenbar noch in der
Periode des Schmelzens und der Reinigung, und
war daran, sich seines Winterschnees zu entledigen.
Auch war er noch grau, an den Rändern schwarz,
molto sporco, wie unser Führer es nannte. Unser
Schreck über die gewaltigen Schnee- und Eis-
massen, die er auf uns herabgesandt und die noch
immer langsam nachkollerten, war so groß, daß wir
die Besteigung aufgaben und uns in eine ange-
messene Entfernung zurückzogen. Diese Stürze
sind von Ende Juni nichts Seltenes. Erst im

Juli hat der Gletscher des Monte Rosa seine Toi-
lette beendigt und den ewigen, smaragdgrünen Eis-
panzer bloßgelegt, der ihm dann unbeweglich fest-
sitzt, ohne den herantretenden Bewunderer mehr
zu bedrohen.

Mit Eindrücken erfüllt, die das ganze Leben
nicht wieder auslöscht, traten wir unsere Rückkehr an.

Es war fast Abend, als wir an den Minen
vorüberkamen. Unweit davon auf der Höhe steht
das Albergo delle Miniere. Wir kehrten ein, uns
erwartete ein frugales, aber schmackhaftes Mahl.

Wir blätterten im Fremdenbuche. Irgend ein
Naturforscher, ein Italiener, hatte ganz vorn eine
kleine Abhandlung über den Monte Rosa, seine
Höhe, seine Fauna und Flora hingeschrieben. Die
Reihe der Säugethiere, wie er sie angeführt, begann
folgendermaßen: I Ordo: homo sapiens. II Ordo:
irgend ein vespertilio . . .

Wir mußten über diese groteske Zusammen-
stellung lachen, denn wenn der Genius aller
Sprachen den Menschen dem Thiere überhaupt
gegenüberstellt, wollen wir noch weniger als nächsten Nachbar und Cousin die Fledermaus haben.
Da trat der Wirth, ein noch junger Mann, herein und bat, daß wir uns einschreiben möchten,

um so mehr, als wir die ersten Fremden in diesem Jahre seien.

Wir durchblätterten mindestens acht Jahrgänge des Buches und fanden keinen deutschen Namen.

„Vorigen Montag," sagte der Wirth, während wir unsere Namen einschrieben, „ist zwar ein junger Herr mit einem Mädchen von kaum achtzehn Jahren hier gewesen, und hat sogar in meinem Hause übernachtet. Aber das ist eine eigene Geschichte. Sie waren aus Piemont und kamen von Turin über die Berge, verstehn Sie mich recht: eigentlich von Alagna im Sesiathal über den großen Turloz. Dem Mädchen, das sehr schön und aus gar vornehmem Hause gewesen sein muß, war das Gesicht von der Schneeluft ganz geschwollen, die Haut daran war abgegangen. Den Berg hinauf mußte man sie tragen. Als man sie hierher in die Stube gebracht hatte, taumelte sie vor Erschöpfung auf den Boden und war lange wie von Sinnen. Der Herr verlangte ein Essen. Während ich es bereiten ließ, sprach ich die Führer, die in der untern Stube saßen. Diese sagten aus, daß die Beiden über Varallo daher kämen, und Tag und Nacht seit vierzehn Stunden auf den Füßen seien und auf das Eiligste gestiegen. Die zwei

müssen auf der Flucht sein, denn sie seien immer
so aufgeregt und sähen sich so unruhig um. Es
sei zu verwundern, daß es die zarte junge Dame
aushalte. Sie selbst, des Steigens gewöhnt, seien
hundemüde. Als ich später das Essen hinauf-
brachte, lag die Dame auf dem Kanapee mit ge-
schlossenen Augen. Der Herr saß bei ihr und betrachtete sie nachdenklich. „Sie ist es nicht gewöhnt,“
sagte er zu mir. „Dingen Sie mir sogleich drei,
vier Menschen, die uns über den Monte Moro
führen.“ Ich war ganz erstaunt und fragte ihn,
ob er wohl wisse, daß der Monte Moro, ein Nachbar des Monte Rosa, neuntausend Fuß habe, und
oben mit klafterhoch liegendem Schnee bedeckt sei.
Die Uebersteigung erfordere zehn Stunden. Er
antwortete mir entschieden, daß er Alles dieß wohl
wisse und Morgen Abends schon in Saas, in
der Schweiz sein müsse. Was die Dame beträfe,
so lasse er sie hinübertragen, es koste, was es wolle.
Ich brachte ihm drei Leute, Schmuggler, denn diese
gehen Sommer und Winter, welches Wetter auch
sei, über das Gebirge; er wurde mit ihnen einig.
Um zwei Uhr in der Nacht sollte der schreckliche
Marsch beginnen. Als ich die Beiden weckte, war
die erste Frage des Herrn, ob ich keine Gensdarmen gesehen. Ich verneinte es. Da sagte er:

„Wir sind verfolgt, müssen den Telegraphen-
drähten ausweichen, verrathen Sie uns nicht!"
Die Dame, die sehr leidend aussah, griff in die
Börse und schenkte mir eine päpstliche Goldmünze,
die ich nicht kannte. Nachdem sie das Frühstück
auf das Hastigste eingenommen, kamen sie in
den Hof herunter, wo die Führer warteten. Der
Mond schien noch. Als die Dame, die übrigens
kaum die Stiege hinabzugehen vermochte, die
Schneeschuhe erblickte, fragte sie, wozu diese Holz-
teller mit Riemen dienten. Da sagte ihr einer der
Führer, daß sie oben im Gebirge an die Füße ge-
schnallt würden, um nicht zu tief in den Schnee
einzusinken. Sie wurde, als sie das hörte, leichen-
blaß und sah ihren Begleiter verzweiflungsvoll an.
Dieser aber, ohne ein Wort zu erwidern, streichelte
sie am Kinn und lächelte. Dann brachen sie auf.
Sie hatten kaum einen Vorsprung von drei bis
vier Stunden, als zwei Gensdarmen beritten heran-
kamen und nach den Beiden, die sie genau bezeich-
neten, fragten. Ich sagte, was ich wußte, denn
jetzt waren sie geborgen; auf den Monte Moro
folgt ihnen kein Gensdarm. Am dritten Tage
kehrten die Führer zurück und sagten mir, daß die
Flüchtigen glücklich in die Schweiz entkommen,
die Dame freilich in einem Zustande, der es

ungewiß ließ, ob fie noch lebe oder eine Leiche
fei."

Ich habe in den piemontefifchen Zeitungen
nichts gefunden, was das Geheimniß diefer ent=
fetzlichen Flucht gelüftet hätte. Vermuthlich han=
delte es fich um eine Entführung, ein Opfer, das
die Liebe gefordert hatte und das, nach Allem zu
fchließen, nicht das letzte und fchwerfte war. Es
gibt noch Romane.

Achtes Kapitel.

Ich war aus der Balanzasca über Pie di
Mulera und Vogogna an den Lago Maggiore und
nach Intra zurückgekehrt. Ich wohnte aber dort
nicht mehr allein. Eines Tages hatte der Eilwa=
gen, der die Simplonstraße herabkömmt, mir aus
der Schweiz einen alten Freund zugeführt, mit dem
ich bereits manche Tour durch die Welt gemacht.
Er bezog das Quartier mir nebenan, welches Ma=
ria Carimali, die Tänzerin, vor wenig Tagen ver=
lassen hatte.

Wenn man mich frägt, wie ich in Intra und
auf meinen mannigfachen Kreuz= und Querfahrten
durch das Gebirge die Leute gefunden, so kann ich
keine Klage führen. Ich stieß weder auf unan=
ständige Habgier, noch auf Wildheit, Rohheit, ge=
hässige Gesinnung. Das muß bereit anerkannt
werden, denn schöne Züge, die unter Menschen

7 *

103

überhaupt selten sind, kann man nicht auf der Landstraße zu finden hoffen.

Auch von Deutschenhaß kann ich nichts erzählen. Freilich begegnete ich überall der Anschauung, daß da drüben, jenseits des See's, eine Macht lagere, mit der man früher oder später in Conflikt kommen werde. Ihre Kanonen schauten herüber, alles mußte sonach auch hier auf dem Qui vive stehn. Dabei ward mir immer gesagt: man wisse wohl eine Regierung vom Einzelnen zu unterscheiden, und Der und Jener könne uns ganz lieb sein, trotz des Regime's, unter dem er lebe. Hie und da sah ich, wie eine rein menschliche Sympathie über alle politische Barrieren hinwegsetzt. Ein wackerer Mann. im Dorfe Bé, der Besitzer eines kleinen Gütchens hoch oben in den Bergen kam immer wieder auf einen Freund zurück, mit dem er in Mailand bekannt geworden und der Kapellmeister in irgend einem österreichischen Regimente war. Der Name, den er nannte, war ein slavischer. Er beklagte, von ihm ganz vergessen zu sein und keinen Brief von ihm mehr zu erhalten. Der Bruder unseres Wirths, der zuerst Kellner auf einem österreichischen Schiffe, dann Diener eines österreichischen Officiers gewesen war, sprach von seinem „Oberleit," wie er ihn nannte, mit wahrer

104

Schwärmerei. Es war ein harmloser Jüngling, der in dem Wahn lebte, seinen Beruf verfehlt zu haben, da er einen herrlichen Tenor besitze, und blieb, so lange ich's nur litt, auf meinem Zimmer, um mir Arien von Donizetti und Verdi vorzutragen.

Der einzige Mensch, der mich mit Vorbedacht betrog, war Signor Solano, der Wirth des Leon b'oro. Als ich mich bei ihm nach einem Wechsler erkundigte, der mir mein österreichisches Papiergeld in Napoleons umsetzen könne, fiel ihm ein, daß er einen Freund in Mailand besitze, mit welchem er in Abrechnung stehe. Er wolle mein Geld zum Tagescours nehmen und sich nur ein Procent anrechnen. Dies schien mir billig. Durch hundert Ausreden verzögerte nun Signor Solano die Umwechselung der Banknoten, bis mein Gepäck schon auf dem Dampfer war. Da brachte er eine Rolle von Goldmünzen hervor, die er als Achtzigfrankenstücke bezeichnete. Man sah die Gestalt der Liguria darauf, die antik drappirt, mit einer phrygischen Mütze auf dem Kopfe, am Meeresstrande saß. Er behauptete gar kein anderes Geld, weder in Gold noch in Silber zu Hause zu haben. Indeß läutete es vom Schiffe herüber, der Cameriere meldete das Gepäck werde, wenn wir einen Augenblick länger zögerten, allein abgehen. Ich nahm

die Münzen. Es waren sogenannte Quadruplo's
di Genova aus der Zeit der ligurischen Republik,
die neu nur 79 Franken gegolten hatten, nun aber
durch Feile und Scheidewasser herabgekommen waren.
Als ich mit ihnen in Alessandria zahlen wollte,
wurde ich zurückgewiesen und versäumte dadurch
den Zug. Mit Müh und Noth gelang es mir, sie
in Genua um fünfundsiebzig Franken anzubringen.

Der einzige Mensch, der uns nachsah, als wir
von Intra schieden, war der kleine wollhaarige Pie=
tro aus Canero, unser Cameriere. Er winkte mir
sogar mit seinem blaukattunenen Tuche Lebewohl!
War es nur darum, weil der Ueberrock und der
Hut, den ich ihm beim Abschied gelassen, noch ganz
gut war? Er hätte mir ja, trotz des Huts und
des Ueberrocks sogleich den Rücken wenden können,
als das Schiff vom Land fort war und er das
Trinkgeld in der Tasche hatte. Nein, dein Herz,
guter Pietro, war besser als das deines Herrn!

Ich fuhr zum letztenmal über den hellen, glitzern=
den, azurnen See und grüßte mit einem letzten
Blick die borromäischen Inseln. Dem schwarzen
Gebirg, Baveno gegenüber, hinter Fondatocce, mit
seinen grellweißen, mächtigen Streifen kamen wir
ganz nahe. Oft war ich dort in den Marmorbrüchen
gesessen, wenn ich nach Orta ging, oder von dort

kam. Lebt wohl, Schneegipfel des Simplon, Thäler von Duomo d'Ossola! Mein Herz wird des Tages, da ich von Euch herabkam, gedenken!

Ueber Bel Girate hinaus verändert der See seinen Charakter. Seine hochromantischen Ufer werden allmälig immer niedriger und zuletzt entschieden langweilig. Dort in der langweiligen Fläche liegt Arona.

In Arona endet die Bahnlinie, die von Genua ausgeht und die Hauptader des Verkehrs für Sardinien zu bilden bestimmt ist. Von Alessandria, das sie auf geradem Wege passirt, entsendet sie einen Zweig nach Turin und von da nach Susa, d. h. an den Fuß des Mont Cenis, der in zehn Jahren durchbrochen sein soll, ein anderer Arm geht nach Strabella, d. i. bis an die Grenze des Herzogthums Piacenza, somit zur Centralstraße Italiens. Da die Dampfboote aushelfen, kann man sagen, die Linie laufe einerseits an den Mont Cenis, andererseits an den St. Gotthardt und münde einerseits in Frankreich, andererseits in die Schweiz. Ein Telegraphendraht läuft nebenher. Er verknüpft seinerseits alle größeren Städte Piemonts mit Turin, läuft bis nach Spezzia und geht von dort unterseeisch nach Sardinien über, um auch dies halbwilde Eiland dem Centralpunkt des Landes näher zu rücken.

Wenn man von Pallanza oder von den borromäischen Inseln um sieben Uhr früh abfährt, kann man Nachmittags um zwei in Genua sein. Eine bewundernswerthe Thatsache, wenn man bedenkt, daß vor blos fünfzig Jahren Genua mit Piemont nur durch eine elende, ursprünglich für Fußgänger und Saumthiere bestimmte Straße verbunden war, die über den col della bocchetta führte und wegen Raubanfällen berüchtigt war! Später kam die über den Monte Creto nach Tortona und Mailand führende Chaussee hinzu und jetzt hat man die Eisenbahn mitten durch alle Hindernisse der Natur geführt. Auf dieser fliegt man wie durch Zauber von der ernsten und herrlichen Welt der Alpen an die schwülen, baumlosen, glühenden Ufer des Mittelmeeres. Mir hatte Signor Solano einen Aufenthalt bereitet; in Alessandria angekommen, mußte ich aussteigen und einen Wechsler aufsuchen, um sein Gold los zu werden.

Schon vor Novara beginnt eine reizlose Gegend. Weite Mais- und Reisfelder ziehen sich hin, hie und da von ein paar italienischen Pappeln unterbrochen, die mit ihrer hängenden Krone ungefähr wie alte Schreibfedern mit zerzausten Fahnen aussehen.

Nur die Kette des Monte Rosa, die sich höchst
großartig im Hintergrunde präsentirt, verleiht diesem
fruchtbaren, aber unschönen Flachland noch einen
Schimmer von Poesie. Novara hat noch andere
historische Erinnerungen, als die von 1849; hier
kam schon die Familie Sforza zum Falle. Man
durchschneidet die Flur von Vercelli (Lo dolce piano
che da Vercelli a Macabo dichina sagt Dante), kömmt
nach Casale, der ehemaligen Hauptstadt des Herzogthums Montferrat, endlich nach Alessandria.
Lauter historischer Boden, — Marengo ein kleines
Dorf, liegt eine halbe Stunde weit ab. Das ist
die verhängnißvolle Ebene zwischen dem Tanaro
und Ticino, die seit Ludwig Sforza und Louis XII.
so viel Schlachten, um den Besitz Italiens geführt,
gesehen.

Der Abend sank, als ich in der Nähe von Marengo zwischen den Reisfeldern spazierte. Ein Land-
mann mit einem erbfahlen, vom Wechselfieber ab-
gemagerten Gesicht gab mir einige Auskunft über
den verderblichen, aber einträglichen Agricultur-
zweig, den er trieb. In der Mitte April werden
die Felder unter Wasser gesetzt, man streut den
Samen auf den durchweichten Boden. Ein Bal-
ken, den ein Pferd zieht, genügt, den Reis in die
Erde zu drücken, dann wird das Wasser abgelassen,

und so lange ferne gehalten, als der Keimprozeß
dauert. Nun wird eine zweite Ueberschwemmung
herbeigeführt, die bis August, bis zur Blüthenzeit
der Pflanze dauert. Diese Ueberschwemmungszeit
hatte bereits begonnen, mir wars, als ob ich im
Nilthal wandelte. Am andern Morgen setzte ich
meine Reise fort.

Eine Stunde, nachdem man Alessandria verlassen, verläßt die Eisenbahn das Flachland und
stürzt sich in den Höhenzug der Voralpen, die Genua nach Norden hin schirmen. Von da an ist
man bald auf, bald unter der Erde, bald in einem
Tunnel, bald auf einem Viadukt. Man ist von
Bergen umschlossen, die sich wie Coulissen vorschieben, Wasser stürzen von den Höhen, Mühlen und
Brettsägen, Kirchthürme, Dörfer, Dämme, Brücken
fliegen vorüber. Das Tiefgrün der Wälder, dem
man schon ein letztes Lebewohl gesagt zu haben
glaubte, ist wieder da. Aber das dauert nicht länger, als ein Traum. Man erreicht Ponte Decimo,
fährt durch einen Tunnel, der alle bisherigen an
Länge übertrifft, bald steigen vor dem Auge mächtige, grasbedeckte, sonst kahle Höhen empor, die
Villen und Cypressenhaine zu ihren Füßen, Cita-
dellen auf ihren Häuptern tragen — noch ein paar
Stöße der Maschine, und eine weite Wasserfläche,

vom Morgenwind sanft bewegt, zeigt sich, ein Wäld-
chen von Masten, ein ragender Leuchtthurm, eine
Stadt am Busen des Meeres ruhend, hoch hinauf-
gebaut; das Auge übersieht glänzende Palastreihen,
Quais, Dampfer, Boote mit farbigen Wimpeln,
Gassen öffnen sich, von Matrosen und Lastträgern
wimmelnd — man ist in Genua.

Neuntes Kapitel.

Ein excentrischer Abbé. — Sonnenglut. — Um die Festungsmauern. — Unter Klosterbrüdern. — Der junge Mönch.

Wir waren noch nicht fünf Minuten in Genova
la Superba, als es uns schon vorbehalten war, die
Bekanntschaft einer sonderbaren und geradezu excentrischen Persönlichkeit zu machen. Es war ein französischer Geistlicher, ein Mann zwischen vierzig und
fünfzig Jahren, im langen schwarzen Gewand und
mit dem Schaufelhut italienischer Pfaffen, der, als
wir eben im Begriffe waren, uns von Staub und
Kohlenasche reinzuwaschen, wie eine Bombe in unser
Zimmer fiel, uns, ehe wir es uns versahen, bei
den Händen gefaßt hatte, und nun, ohne sich durch
unser Negligé stören zu lassen, uns mit einer wilden, exstatischen Heiterkeit also anredete:

„Erlauben Sie, meine lieben Freunde, daß ich
als ihr Zimmernachbar Sie begrüße. Sie sind
doch keine Engländer, Russen oder Amerikaner?"

„Wir sind Deutsche."

„Aus welchem Theile Deutschlands, wenn ich fragen darf?"

„Wir kommen aus Böhmen."

„Also aus der Heimat des heiligen Johannes von Nepomuk, den ich ganz besonders verehre. Herrlich! herrlich! Eines Heiligen von den größten Verdiensten! Eines Märtyrers für das Sakrament der Beichte! Herrlich! herrlich! Gute Katholiken, natürlich, — ich lese nur Gutes in Ihren Gesichtern! Vielleicht auch auf dem Wege nach Rom?"

„Nein, leider nicht!"

„Mich erwartet dies Glück! Ja, noch mehr: ich werde den heiligen Vater sprechen! Ich habe Briefe vom Univers, ich habe Verbindungen, ich werde dem heiligen Vater der Christenheit vorgestellt werden und seinen Segen erhalten! Sie wissen, als gute Katholiken, was das heißt, in der Hoffnung leben, den heiligen Vater zu sehen, daher erblicken Sie mich in dieser Aufregung! Gestern habe ich Marseille verlassen, in drei Tagen bin ich in der ewigen Stadt! O Schade, daß Sie nicht auch nach Rom gehn! Wollen Sie mit mir durch Genua fahren?"

„Danke, danke, wir haben Geschäfte!"

„Schade! Wir würden die Kirchen besuchen,

in der Maria del'Anunziata unsere Andacht ver=
richten, in der Kathedrale das Gefäß sehen, des=
sen sich unser Heiland bei seinem letzten Nachtmahl
bediente. Es ist Ihnen gewiß nicht unbekannt,
daß der Sagro Catino sich in Genua befindet. Wol=
len Sie mit mir gegen sechs Uhr im Kloster......
zu Tische speisen?"

„Wir müssen wiederholt für Ihre Freundlichkeit
danken. Wir haben wichtige Gänge."

„Nun dann leben Sie wohl, der Herr sei mit
Ihnen! Ich reise Morgen mit dem Frühesten nach
Rom. Empfehlen Sie mich, wenn Sie daheim
sind, im Gebete ihrem erhabenen Landespatron.
Auch ich werde Ihrer gedenken! Adieu! Adieu!"

Er flog sturmgleich, wie er hereingekommen,
wieder hinaus.

„Deve esser matto!" sagte der Kellner, der
dabei gestanden und französisch verstand. Er hat
übrigens mit einigen Freunden unten sehr reich=
lich dejeunirt. Geht nach Rom! Ein Jesuit!"

Wir gingen die Marmortreppen des Hotels de
France hinab und traten ins Freie. Es war
ungefähr zwei Uhr. Der Meeresspiegel blendete
so, daß man die Augen kaum öffnen konnte, die
Sonne brannte wie toll auf Berge, Stadt und
Meer. Es ist die Art der Genueser Sonne, so

toll zu brennen. Sie hat die Berge versengt und
ihnen die Farben der Dürre gegeben, sie hat den
Marmor der Paläste gebräunt und ihr Mauerwerk
zerklüftet, die Luft selbst scheint wie die einer Esse
zu vibriren. Von dieser Sonne wird der Kupfer-
beschlag der Schiffe glühend und die Schiffswand
so heiß, daß man sich nicht an sie lehnen kann.
Kein zarter Frauenfuß wagt es in dieser Mittagszeit die Marmordielen des Quais zu betreten. Die
Rosen, die sich Morgens auf den Terassen geöffnet,
hängen jetzt schon ihre Köpfchen, und der leiseste
Athemzug des Windes weht die Blätter auf die
Straße hinab, wo sie im hochliegenden Staub ihr
Grab finden. Staubbedeckt sind die Blätter des
Rebstocks, der hie und da an der Mauer eines Pala-
stes emporkriecht und hinter den großen, rothbrau-
nen Blättern hängt dunkel und schwer die Traube.

Schiffer und Gewerbsleute suchen in diesen
Mittagsstunden den Schatten, und finden ihn in
den lichtlosen Gassen, die so eng sind, daß eben
zwei Menschen einander darin ausweichen können.
Jalousieen, Laden und Vorhänge sind geschlossen,
das Licht ist dem Auge zu grell, ihm ist wohl
nur in künstlicher Dämmerung. In den Tavernen
sitzen die Gäste, haben die Gläser bei Seite gestellt
und schlafen.

Nur die Eidechsen — selbst wie schillernde
Lichtstrahlen — freuen sich dieser Hitze und laufen
auf dem Gemäuer umher. Auch die Touristen
haben keine Ruhe. Sie stürzen blindlings in das
Gewirr der Gassen und suchen ihren Weg, entschlossen, sich überraschen zu lassen.

Wie viel Marmor, wie viel Paläste! Man ist
keine halbe Stunde gegangen, ohne von dieser
Wucht von Pracht erdrückt zu sein. Aber welch
toller, extravaganter Geschmack! Hier ist ein Pallast
— Palazzo Turfi — dunkelroth, dort ein anderer
— Palazzo Spinola — citronengelb bemalt. Ein
dritter ist vom Parterre bis zum Giebel mit Fresken ausstaffirt. Ein bizarrer Pinsel hat Säulen ent-
worfen, die nichts tragen, Architrave hingesetzt und
Statuen, welche riesig auf den Vorübergehenden herabsehen, in falsche Nischen gestellt. Durch-
brochene Gallerieen hier und dort! Orangen-
und Myrthenbäume in Kübeln machen diese Orte
zu künstlichen Gärten. Welche Vorhallen und Säu-
lenhöfe, welche Treppenhäuser mit edlen Sculptu-
ren! Marmorne Schmuckkästen sind die Palläste.
Welches Prunken mit Raum in einer Stadt, die
so wenig Raum zu verschenken hat. Es ist, als
ob in jedem Hause der Strada Balbi ein Graf von
Monte Christo wohnte.

Aller Sonnengluth zum Trotz wollten wir einen
Gang um die ganze Stadt machen. Wir wandelten an der den Hafen umschließenden Vertheidigungs-
mauer hin, die sich mit ihren Rondelen an die beiden Molo's lehnt, an der Darsena vorüber, bis
zum Leuchtthurm, der, von starken Batterieen ge-
schützt, frei und stolz wie eine Säule emporragt.
Von dort aus eilten wir zur Höhe. Genua ist
von der Landseite doppelt mit Mauern umgeben.
Die erste Mauer läuft mit der Spornschanze von
sechs Bastionen um die eigentliche Stadt, die andere Mauer erklimmt die Höhen des Apenins und
bildet ein gleichschenkliches Dreieck mit Rondelen
und Forts, das auch die Vorstädte und die an-
grenzenden Feldtheile umschließt. Auf jeder der
einzelnen Höhenspitzen ragt ein Castell. Unter diesen
detachirten Werken ist das Fort Diamante mit
vier Bastionen das imposanteste. Alle Werke der
äußern und innern Enceinte sind starke, revetirte
Wälle, aber ziemlich verwahrlost. Die vier zusammen-
hängenden Systeme der Hafenbefestigung, der innern, der äußern Enceinte und der Forts bilden
ein mächtiges Befestigungswerk, vielleicht das größte
in Europa, dem aber eben seine Größe schaden
muß.

Wir wandelten langsam, auf das Amphitheater

von Dächern unter uns blickend. Eine mächtige Stadt, der man es ansieht, daß sie einst, Venedigs Rivalin, das Meer beherrscht! Noch immer die erste und einzige Handelsstadt Italiens, aber wie weit zurück hinter ihrer ehemaligen Größe! Das Mastenwäldchen da unten ist ziemlich bescheiden. Noch lange kein Marseille! Weithin dehnt sich der tiefe Azur des Meeres, auf dem nur hie und da ein weißes Segel oder das Rauchwölkchen eines einkehrenden Dampfers sich zeigt. Zu Doria's Zeiten mögen dort unten die Masten anders geflaggt haben.

Die Stunden vergingen, wir hatten die halbe Stadt umgangen, und waren weiter vom Hause als je. Nirgends zeigte sich eine Gasse, die hinabgeführt hätte. Der Schweiß stand uns auf der Stirn, wir waren hungrig und durstig, und begannen den Gang in der Mittagshitze zu verwünschen. Da endlich zeigte sich eine enge Passage, ein Vicolo, das wir hinabzuklettern begannen; es führte auf einen öden, einsamen, grasbewachsenen Platz, an einer Kirche samt Nebengebäuden vorüber. Kein Mensch weit und breit zu sehen. Da sehen wir nach dem Wege hätten fragen können. Da sehen wir einen Esel, von seinem Treiber begleitet, herantraben, eine schwarze Gestalt sitzt darauf, sie kömmt näher —

welch' ein Zufall — es ist der Abbé, der uns vor drei oder vier Stunden verlassen.

„Wo kommen Sie her, meine Freunde?" ruft er, sein Thier parirend, mit erstaunter Miene.

„Von der Höhe; wir haben den Umkreis um die halbe Stadt gemacht, und sind halb todt vor Müdigkeit und Hitze!"

„Unvorsichtige Menschen! Sie konnten den Sonnenstich bekommen! Noch einmal, wollen Sie mit mir dort im Kloster speisen?"

Wir waren längst nicht mehr in der Stimmung, ein solches Anerbieten, wo es uns gekommen wäre, abzulehnen. Der Esel trabte vorwärts, und wir Beide standen bald an der Seite unseres excentrischen Begleiters im Corridor des Klosters.

„Ehrwürdiger Vater," redete einen Augenblick später unser neuer Freund den Prior an, der ihm auf der Treppe entgegengekommen war. „Sie müssen noch zwei Gedecke auftragen lassen. Ich bringe Ihnen zwei junge Männer aus Böhmen mit."

Der Prior lächelte gutmüthig und führte uns, vorangehend, ins Refektorium. Es war eine kühle, weite Halle mit Ziegelsteinen gepflastert, mit einem langen Tisch in der Mitte, um den herum mindestens fünfzehn Stühle standen. Welche La-

8 *

bung nach solch ausgestandener Hitze. Die Fenster=
laden waren halb zugelehnt, vor jedem Couvert stand
eine Flasche kühlen Weins; in einem großen Glas=
becken lagen Stücke Eis — vielleicht vom Monte
Rosa. Der Pfirsich, die japanische Mispel, die
Orange dufteten durch den Raum. Die Glocke
hatte zu läuten begonnen und ein Bruder erschien
nach dem andern. Es waren fromme Baarfüßler
von charakteristischer Erscheinung: die einen cor=
pulent, mit geröteten Gesichtern und feisten Stier=
nacken, die andern hager, mit fanatischen Augen
und geschwungenen Habichtsnasen. Allen war der
Kopf, bis auf einen schmalen Haarkranz, kahlgeschoren.

Der Wein und der lebhafte Ton des excen=
trischen Franzosen, verscheuchten bald das Gefühl
von Gêne, das uns Anfangs in einer so fremd=
artigen Gesellschaft zu überkommen drohte. Wir
merkten rasch, daß wir uns unter Menschen von
den barocksten Ansichten befänden und waren
entschlossen, uns vorerst möglichst still zu verhal=
ten, um keinen Anstoß zu geben. In den Ton,
der gar bald zu Tage kam, mochten wir nicht
einstimmen, aber auch widersprechen wollten wir
nicht. Die Gesellschaft um uns herum war offen=
bar mit allen modernen Institutionen ihres Vater=
landes in offenem Krieg. In uns sahen die guten

Väter fromme, unverdorbene Hyperboraer, ihre Alliirten. Das war komisch, wir waren neugierig, zu sehen, wohin es führen werde.

„Die Welt hat sich umgekehrt,“ sagte endlich der Prior. „Einst waren die Deutschen vom schismatischen Geiste angesteckt, als Italien orthodox war. Jetzt befindet sich unser armes Vaterland im Aufstande gegen seinen geistlichen Vater und die Deutschen sind seine Stütze. Gibt es,“ wendete sich der Prior an mich, „noch viele Anhänger des Luthero in Deutschland?“

„Noch etwelche — in Preußen zum Beispiel.“

„Rechnen Sie denn,“ fragte der Prior erstaunt, „die Prussiani zu den Deutschen? Ich halte sie für eine eigene Nation, die einerseits mit den Russen, anderseits mit den Holländern verwandt ist.“

„Diese ethnographischen Verhältnisse,“ erwiderte der Freund statt meiner, „sind von den Gelehrten noch nicht völlig festgestellt.“

„Es ist natürlich,“ fiel ein alter Frater ein, „daß die Deutschen ihre Zahl vergrößern möchten und auch Völker zu sich rechnen, die mit ihnen nur weitläufig verwandt sind. Strenggenommen rechnet man zu den Deutschen nur die Tyrolesi, die Bavaresi und die Austriaci.“

„Nun — und die Boemi vergessen Sie?“ er-

gänzte ein Dritter. „Doch in Boemia hat es auch
seiner Zeit Ketzer gegeben. Gibt es noch Hussiten
dort?"

„Keinen einzigen. Ganz ausgerottet!"

„Gott sei Dank, Gott sei Dank! In Turin
hat man den Schismatikern eine Kirche bauen
helfen."

Die Schüsseln kreuzten wieder und unter man-
chem Seufzer wurden die Gläser vollgeschenkt und
wieder geleert.

„Welchen Eindruck," rief plötzlich ein hagerer
Mönch von der anderen Seite des Tisches herüber,
„muß es bei Ihnen gemacht haben, als der heilige
Vater sagte: „Die Deutschen, meine geliebten
Söhne." Hier brachte es die Feinde der Kirche
zum Rasen, in Deutschland muß es jedes Herz freudig durchzuckt haben."

„Einen unermeßlichen Eindruck hat es hervor-
gebracht," sagte mein Freund, „man fragte sich
allenthalben, ob das derselbe Mann sei, der acht
oder neun Jahre vorher die Fahnen der Crociati
gesegnet."

„Pio Nono," sagte der Prior, „war eine Zeit
lang auf einem gräßlichen Abwege. Da öffnete
ihm Gott die Augen und er sah, an welchem Abgrunde er sich befand. Er ist nahe daran ge-

wesen, sich und die Kirche ins Verderben zu
ziehen."

Die Teller wurden gewechselt, ein neuer Gang
von Speisen aufgetragen, eine längere Pause, die
nur vom Lärm der Messer und Gabeln unterbrochen wurde, trat ein. Endlich begann der Prior
wieder: „Wohin es mit uns noch kommen soll,
weiß Gott allein! Ehedem betrachtete sich Sardinien als die Vormauer gegen alle ketzerischen Prin-
cipien, die sich von Frankreich und der Schweiz
aus über die Halbinsel verbreiten wollten. Darum
öffnete Sardinien den Jesuiten wieder die Thore
der Klöster. Auf dringende Verwendung des Königs Carlo Felice sprach der Pabst im Jahre 1838
den Grafen Umberto von Savoyen und den Erz-
bischof von Canterbury, Bonifaz von Savoyen heilig. Man hätte glauben sollen, daß so etwas ewig
zu Dank verpflichten müsse! Die Undankbaren
haben alles vergessen. Noch unter dem vorvori-
gen König mußten die Juden gelbe Abzeichen an
ihren Kleidern tragen, hatten ihre Ghettos und
durften Nachts nicht ausgehen. Ein gerechtes
Gesetz, wenn es je Eins gab, denn was kann ein
Jude zu nächtlicher Zeit in den Gassen der Christen
wollen? Jetzt besitzen die Juden Paläste in Genua und Turin. Ist das in einem christlichen

Staate erlaubt? Seit 1849 vollends ist vor der Fluth der Bösen jeder Damm eingerissen. Die Censur ist abgeschafft, dieser nothwendige Zügel und die täglichen Schandblätter drucken alle unbeglaubigten Verläumdungen, die nur in alten Chronisten gegen die Päbste zu finden, ungestraft nach. Das Gesetz Sicardi vollends, das uns so schwer betroffen" —

Bei diesem letzten Namen, der sie am schwersten zu treffen schien, erhoben sich alle Stimmen zugleich im wilden Durcheinander, und Klagen, Verwünschungen, Drohungen aller Art vermischten sich. Ein Lärm, in welchem man nichts deutlich vernehmen konnte, dauerte minutenlang fort. Endlich hörte man die schneidende Stimme des Franzosen, der sagte:

„Aber das ist nur ein erster Schritt — es ist nur zu klar, was ihr Vorhaben ist: sie wollen die Secularisation des Pabstes" —

Ein neues Gewirr von hingejagten Bemerkungen und Exclamationen brach los, die Mönche erhoben sich und bildeten einzelne Gruppen. Der Prior und einige der ältesten und scheinbar angesehensten unter den Vätern umgaben den Abbé und redeten ihm eifrig zu.

„Der Fels Petri," hörte ich eine Stimme ru-

fen, „wird doch die Pforten der Hölle überdau-
ern."—

„Rom ist die ewige Stadt," rief ein Anderer.

„Rom," sagte mein Freund halblaut, „ist der
ewige Jude unter den Städten. Er kann nicht leben
und nicht sterben" —

Nur Einer außer mir hatte diese Worte gehört;
es war ein junger Mönch, hager, mit dunklen Feueraugen, der während des ganzen Mahles kein Wort
gesprochen hatte. Er nahm meinen Freund bei
Seite und fragte ihn, wie er das gemeint. Dieser, der langen Selbstverleugnung müde, ließ die
Maske, die er bisher getragen, fallen.

Eine Viertelstunde später verabschiedeten wir
uns aus dem Kreise der Väter, die noch immer
nicht zur Ruhe kommen konnten. Der junge Mönch
geleitete uns mit einem Licht die Treppe hinab.
Plötzlich blieb er stehen und ergriff die Hand meines Freundes:

„Glauben Sie nicht," sagte er mit bewegter
Stimme, „daß Alle so denken, wie die, die Sie
gehört. Ich zum Beispiel — hier muß ich leben —
o welch ein Leben, — muß mich verstellen und
schweigen — doch, es wird noch anders! Ja, es
kömmt noch die Zeit, wo ich dies Kleid von mir
n erfe . . . . ."

Wir horchten verwundert, der junge Mann aber, der dies alles rasch und in einem Fieber der Aufregung gesprochen, hielt wieder einen Augenblick inne, während sein Gesicht einen heftigen Kampf ausdrückte und fuhr fort: „Ich bin ja in einem Alpenthal zwischen Lucerna und Perusa geboren — ich bin — ja ich bin ein heimlicher Waldenser!"

Er hatte es kaum gesprochen, als ein Luftzug im Corridor das Licht, das er in der Hand hielt, ausblies. Wir standen hart vor der Thüre; sie that sich auf, der junge Mensch verschwand im Dunkeln.

Minutenlang standen wir ohne ein Wort zu reden, vor dem Portale des Klosters. Beide ergriffen von der seltsamen Scene, die wir erlebt. Ueber uns zogen die Wolken, von einem heranziehenden Gewitter gejagt. Langsam gingen wir über den öden Platz und dann die Treppen hinab, um die innere Stadt und unser Hotel wieder aufzusuchen.

Zehntes Kapitel.

Ich muß es anderen, die durch ihre Kenntnisse dazu befugt sind, überlassen, über den oft und oft behandelten Gegenstand: Kirchen und Bildergallerien zu reden. Ich würde da nur meine Unwissenheit an den Tag legen. Besser ist's ich schildere, was man auf einem Gang durch die Stadt sieht. Zum Glück ist das Volksleben so reich und mannigfaltig, daß man immer hoffen darf, da oder dort einen neuen Zug zu bringen.

Schon des Morgens in aller Frühe ist der Hafen voll Leben. Baarfüßig und baarhäuptig, mit ziegelrothem Gesicht und schwarzem Bart kommen die Lastträger daher, ein Hemd und ein kurzes Beinkleid von gestreiftem Segeltuch am Leibe, schweißbedeckt, Waarenballen auf dem Rücken schleppend. Nur die eine Hälfte dieser Leute sind Genuesen, die andere Bergamasken, Facchini, di

Caravana. Auf ihrer breiten, schwarzbehaarten
Brust balancirt das Blech mit ihrer Nummer,
wie ein Amulet. Seetitanen mit rothen Mützen
und nackten Beinen, soeben aus allen Enden der
Welt heimgekehrt, liegen in malerischer Nonchalance
auf den cyclopischen Mauern des Quais. Hun=
derte von melancholischen Eseln und cholerischen und
widerspenstigen Maulthieren, stehen einzeln vorge=
spannt vor kleinen Karren, wiehern halbtoll vor
Hitze und Ermüdung, schnappen nach einander,
werden angetrieben, brechen zusammen, werden mit
Prügeln und Flüchen wieder aufgerüttelt und
schleppen ihre Ladungen weiter, die engen, nur für
ein Pferd zugänglichen Gassen hinan. Welch Durch=
einander, welch Gedränge, welcher Wirrwar! Hier
und dort stehn Schiffer mit wachsleinwandüber=
zogenen Hüten, rothen Schärpen und rufen: Un
batello Signori! Un bateau pour aller en mer!"
Es ist schwer von ihnen loszukommen. Dazwischen
sieht man Matrosen der sardinischen Marine, auf
dem Hute das Kreuz von Sardinien, in blauen
Hemden mit breiten Kragen, wie es scheint, eine
tüchtige Truppe.

Endlich haben wir einen Schiffer gewählt, der
mit uns eine Tour im Hafen machen soll. Es ist
ein Greis, hager und braun wie ein Araber, nur

mit einem Hemde und einer Hose bekleidet, mit
einem alten Strohhut auf dem Kopfe. Er thut
einige Schläge in das schwarze Wasser und fährt
uns mit einer wunderbaren Geschicklichkeit durch
das Gedränge von Schiffen hinaus. Hart aneinander stehen sie, daß man sie für festgerannt halten
möchte, der alte Schiffer aber weiß seinen Weg aus
dem ärgsten Wirrwar zu finden, und beschreibt mit
seinem Kiel so kunstvolle Linien, wie nur ein
Kalligraph die seinigen. Nirgends stößt er an,
auf spannweite fährt er vorüber. Kauffahrer aus
aller Welt sind da, wie die Farben auf den Masten
bezeugen. Hier Neapolitaner, hier Engländer, dort
Schweden, Holländer, Franzosen, dort schauen von
der Flagge die Sterne des freien Amerika herab.
Ein türkisches Fahrzeug, ein Dampfer, liegt seitwärts,
trauriger und schmutzigen Ansehns, die Bemannung
ist braun, auch Neger sind darunter. Auf der hohen
See steht, groß und einsam, ein brasilianisches
Linienschiff.

Der Handel Sardiniens ist namentlich mit Süd-
amerika nicht unbedeutend. Dort haben Emigran-
ten aus Ligurien Colonien gegründet, die noch in
Verbindung mit dem Mutterlande geblieben sind.
Ueber dreitausend Schiffe von jeder Größe, über
167,000 Tonnen Last tragend und mit 27,000

Matrosen bemannt, gehn hin und her. Die See=
fahrer der Riviera sind übrigens in aller Welt
bekannt. Es vereinigen sich aber auch alle Um=
stände, um die Entwicklung einer Marine zu för=
dern. Eisen liefert das Thal von Aosta und die
Insel Sardinien reichlich und von bester Qualität,
Kupfer die Minen von Ollomont, die Wälder
von Savoyen liefern Masten, die Wälder der
Insel Bauholz; die Ebenen von Piemont geben
Hanf bester Art für Segel und Taue.

Kehren wir aus dem Hafen zurück; das Boot
sucht seinen Weg durch das Gewühl der Fahrzeuge
und wir treten in der Gegend des Molo Vecchio
ans Land. Wir kommen an der Loggia dei Banchi
(der Börse) vorbei, und drängen uns durch ein Ge=
wühl von Geschäftsleuten aller Art, Vetturini und
Schiffern. Das Haus selbst, durch dessen weitoffene
Fenster wir blicken, ist fast leer; alles steht draußen.
Strohstühle sind in zwei Reihen gestellt, kleine
Café's und Buden der Wechsler bilden die Garni=
tur dieser Gasse. Ernste Orientalen rauchen ihre
Pfeifen, Griechen, an der pelzbesetzten Jacke und
Fustanellen kenntlich, gestikuliren heftig.

Eine zweite Börse wird in der Mittagsstunde
in der Nähe des Postgebäudes abgehalten. Dort,
wo eine Reihe von Treppen auf den terrassenartig

hohen Platz führt, läuft ein eisernes Geländer
ringsum. Unsereiner würde nur wagen, sich auf
dies schmale Geländer zu setzen, wenn er sich mit
beiden Händen festhielte und auch da würde ihn
nicht die Sorge verlassen, daß er durch einen Unfall
aus dem Gleichgewicht kommen und zwanzig Fuß
tief hinabstürzen könne. Der Genuese scheint es
durch jahrelange Uebung dahingebracht zu haben,
auf diesem Geländer in Balance zu bleiben, ohne
eines Anhalts zu bedürfen und wie man oft
eine Mauer entlang eine Reihe von Sperlingen
aneinandergedrängt sitzen sieht, sitzen um diese Zeit
Hunderte von Menschen schwatzend auf dem gefährlichen Eisenstreif, von dem herab ein Sturz das
Leben kosten kann. Solange nur Schatten ist,
bleiben die Plätze dort keinen Augenblick leer.
Daneben rufen die Zeitungsverkäufer ihre Tages-
blätter, die Italia del popolo, die Unione, den
Corriere mercantile aus.

Bleiben wir vor dieser Buch- und Kunsthand-
lung stehen. Ein großes in Oel gemaltes Portrait
des Königs Victor Emanuel ist dort zum Verkauf
ausgestellt, ich mußte es, so oft ich vorüberging,
ansehen, so außerordentlich frappant ist dies Gesicht.
Der Kopf, hellblond und feist, ist mit dem Ausdruck eines herausfordernden Stolzes zurückgewor-

fen. Ein Schnurrbart, der den Haynau's offenbar
zu übertreffen strebt, von rothblonder Farbe, fällt
bis tief auf die Brust herab. Oben zusammen=
gedreht, löst sich dieser Monstreschnurrbart weiter
unten wie ein Kometenschweif auf. Die Nase ist
kurz und unedel klumpig, die Augen sind klein, alle
Züge beinahe gemein, fast wie die eines Kö=
nigs Gambrinus, aber sie sprechen von einer merk=
würdigen Energie und einer ungezügelten Kraft.
Der ganze Kopf hat etwas vom Eisenfresser, vom
theatralischen Bramarbas, doch fesselt er immer wie=
der. Es will dies Gesicht durchaus nicht mit in
die Reihen der übrigen europäischen Königsfamilien
passen.

Ein paar Schritte weiter, bei einem geringen
Bilderkrämer, hängt ein anderes Bild, vor dem
sich Gruppen bilden, eine Lithographie. Ein schö=
nes Weib mit herabfließendem Haar ist, wie der
Heiland, an's Kreuz geschlagen. Die Figur stellt
die „gekreuzigte Italia" vor. Zwei Nägel sind
durch die ausgebreiteten Hände, einer durch die
zusammengelegten Füße getrieben, die Knöpfe der
Nägel aber sind drei Köpfe: die des Kaisers
von Oestreich, des Papstes und des Königs von
Sicilen — alle ähnlich. Welche anomale excep=
tionelle Rolle spielt ein Land, in welchem ein sol=

ches Bild, vor welchem Tausende stehn bleiben, offen ausgestellt werden darf, ohne daß sich ein Polizeicommissär im Laden einfindet und die Wegnahme fordert... Würde es in England gestattet sein? Ich weiß nicht. Doch ein paar Schritte weiter sah man das Portrait des Agesilao Milano.....

Fort von diesen düstern Mahnzeichen! Es ist Nachmittag und friedlich wandern die Leute nach Aquasola. Wir wandern mit.

Die Aquasola ist eine Promenade, hoch über der Stadt auf einer weiten Terrasse, von der aus man eine herrliche Aussicht auf das Meer genießt. Schattige Alleen bilden ein Viereck und in der Mitte eines grünen Rasenplatzes steigt ein mächtiger Springquell aus einem großen Bassin schäumend empor. Wie man an einem Sonntag in Paris tausend Stühle im Tuillerieengarten sieht, so auch hier; aber die Frauen, die auf diesen tausend und tausend Stühlen Platz nehmen, sind schöner, als die Pariserinnen in der Regel. Es sind Frauen mit nächtlichschwarzen, üppigen Haaren, und dunklen Feueraugen; einer strengen und ernsten, vielleicht allzu ernsten Schönheit. Die meisten tragen nur den weißen, breiten, wallenden Schleier, der im Haargeflecht mit zwei großen goldenen Nadeln festgesteckt ist, die wenigsten Hüte.

A. Meißner, Durch Sardinien.   9

Die Uniformen, besonders die malerische Tracht der Bersaglieri mit dem runden Hut und den hell= grünen Roßhaarbüschen, tragen zum eigenthümlichen Colorit dieses großartigen Menschengewühls bei. Die Militärmusikcapelle spielt und vor den Cafés, im Schatten der Bäume, trinkt man Sorbet und ißt Eis.

Kommt der Abend, so zieht sich das Gewühl wieder in die Stadt zurück. In den hinabsteigen= den Gassen ist ein compaktes Gedränge und auf dem weiten Corso, vom Theater bis hinab zur Piazza delle fontane amorose wogt es auf und nieder. „Platz der verliebten Quellen!" Ein eigenthümlicher Reiz liegt im Namen! Wir da= heim — warum können wir unseren Plätzen nur die prosaischen Namen: Roßmarkt, Gensdarmenmarkt u. s. w. geben? Und wirklich, unter diesem lauen Himmel des Südens scheinen die Quellen, die dort vereint, vom Strahle des Mondes erhellt, in ein Marmorbassin fallen, vor Liebe zu murmeln. Indeß beleuchten sich die Fenster des Theaters Carlo Fe= lice — man giebt den Propheten, — wir aber wandeln hinab zum Café del Centro, einem der schönsten Cafés, die ich kenne.

Auf einer Terasse ist dort ein Garten der herr= lichsten Gewächse hingezaubert. Kleine Bosquetts, kleine Irrgänge laden zum Sitzen ein. Elegante Herren und Damen kommen und gehn. Ein gutes Orchester spielt alle Abende. Es ist schön dort beim Sorbeto zu sitzen und der Musik zuzuhören. Die Springbrunnen rauschen und der Duft der blühenden Orangen und Akazienbäume durchzieht die Lüfte.

Verlassen wir dies elegante Viertel und kehren wir in den mehr vom Volke bewohnten Stadttheil zurück. Es hat bereits elf Uhr geschlagen, aber die Gassen sind noch mit Menschen gefüllt. Hier, auf einem kleinen Platze, den von zwei Seiten uralte Kirchen aus schwarz und weiß gewürfelten Marmorquadern einschließen, dröhnt uns ein unsagbarer Höllenlärm entgegen, dem, wenn er schweigt, ein hundertstimmiges Gelächter folgt. Was ist das? Matrosen, die ihre Löhnung erhalten haben und übermüthig geworden sind, haben fünf bis sechs Drehorgeln gemiethet, haben sie im Kreis zusammentreten lassen und ihnen aufgetragen, ihre fünf bis sechs verschiedenen Melodieen zu gleicher Zeit abzuleiern! Das gibt einen Wirrwar von Tönen, ein Charivari ohne Gleichen und kindlich freut sich das Volk daran.

Endlich wird es Mitternacht, aber die Luft bleibt schwül. Die Gassen haben sich geleert. Da tönt ·

9*

ein Chor an unser Ohr von seltsamer Wirkung:
Eine Gesellschaft von sechs oder acht jungen Leuten,
Matrosen, Proletarier, kömmt heran. Jeder hat
den rechten Arm auf die Schulter des Andern gelegt, so daß sie eine Kette bilden, jeder hält die
linke Hand an sein Ohr, damit ihn die Stimme
seines Nachbars nicht irre mache. Vierstimmig
singen die einen ein Schifferlied, die andern accom-
pagniren mit Brummstimmen, einer scheint eine
Cither im Mantel zu verbergen, die, so oft die
Strophe der Sänger schweigt, ein paar Töne aus-
lingen läßt.

Die Leute reden kein Wort, sie freuen sich ihrer
Schiffermelodie. Durch zehn Gassen, halbe Stunden lang, konnte ich diesen fahrenden Sängern folgen und ihrem Liede zuhören, das so seltsam war,
daß ichs nie nachzusingen lernte, aber so schön, daß
es mir heute noch zuweilen geisterähnlich in der
Erinnerung nachklingt.

Elftes Kapitel.

Erfparungspläne. — Das Café Conſtanza. — Das Zimmer in der Luna. — Der nächtliche Nachbar. — Vor der Polizei. — Wer der Nachbar geweſen. — Wohlfeil iſt theuer.

Es war ein Sonntag. Mein Freund, der nach Florenz reiſte, hatte ſich mit Tagesanbruch nach Livorno eingeſchifft. Ich war Vormittags auf der Villa Pallavicini, Nachmittags in Aquaſola ge= weſen, und dort hatten mich Orangen= und Cy= preſſenhaine, hier die dunklen Augen der Genueſerin= nen in einen ſolchen Rauſch verſetzt, daß ich mir dachte, es müſſe göttlich ſein, vier volle Wochen in der liguriſchen Hauptſtadt zuzubringen. Um mit dem Süßen und Schönen auch Nützliches zu ver= binden, wollte ich die königliche Bibliothek, vielleicht gar das Staatsarchiv beſuchen und einem intereſ= ſanten Stoff, den ich ſchon lange im Auge hatte, des Weiteren nachſpüren.

Für dieſen Fall ſchien es mir ſehr rathſam, das Hotel de France zu verlaſſen und eine wohl=

feilere Privatwohnung zu beziehen. Das Zimmer,
das ich bewohnte, war ein gar beredter Ausdruck
des Vertrauens, das der Oberkellner, der es mir
angewiesen, in meine Finanzen setzte, aber wahr=
lich, es schien mehr für einen Lord, als für einen
deutschen Schriftsteller geschaffen.

Das Gemach war groß, marmorgetäfelt und
hatte die prächtigste Aussicht auf den Hafen und
auf den Molo hinaus. Tisch und Stühle waren
von solidem Mahagoni, die Spiegel hingen in
schöngeschnitzten, vergoldeten Rahmen, über dem
Bett, das schier so breit wie lang, war eine weiße
Mousselindrapperie angebracht, in welcher man sich,
wie der Feldherr in seinem Zelte, abschließen konnte.
Das kostbarste Objekt aber war ein Oelgemälde
mit lebensgroßen Figuren, die schöne Wittfrau Ju=
dith, die Heldin von Bethulien in dem Momente
darstellend, da sie sich eben von der Seite des Feld=
herrn erhebt, um die elendeste aller sogenannten
Heldenthaten an dem Schlafenden zu vollbringen.
Gewiß, dies Bild mußte das Werk, oder minde=
stens die Copie eines vortrefflichen Meisters sein!
Katzenartig grausam spielten die langgeschnittenen
Augen nach dem Schlummernden, jede seiner Be=
wegungen überwachend, hinüber, während die schöne,
zierliche Hand bereits nach dem Schwerte griff, das

der Feldherr zu den Oberkleidern der schönen Jü-
din gelegt hatte. Welch herrlicher Kopf, welch ent-
zückende Brust, welch üppiges Bein! Ich konnte
so Abends stundenlang dem Bilde gegenüber sitzen,
und mich dabei in Gedanken über ein Volk ver-
tiefen, das schon von Anbeginn schrecklich war. . . .

Am andern Morgen frühstückte ich wie gewöhn-
lich im kleinen Café della Constanza, unfern von
der Börse in der kleinen menschenwimmelnden
Strada degli Orefici. Dies Kaffeehaus war mir
besonders durch das tolle Gebahren seiner Kellner
amüsant. Alles, was der Eintretende dort bestellte,
wurde nämlich von dem dienstthuenden Garçon
mit einer wahren Stentorstimme einer am Eingang der Küche sitzenden Person zugerufen, die es
in ein Buch eintrug, während es vom Chef der Küche
wieder den im Hintergrunde unsichtbar waltenden
Geistern zugerufen wurde. Der wilde, gleichsam ent-
husiastische Ruf des Oberkellners, die melancholische
Wiederholung durch den Küchenchef bildeten einen
Contrast, der für den, der es zuerst hörte, von gro-
teskester Wirkung war. Das Rufen der Kellner
im Café de la Rotonde in Paris ist nichts dagegen.

Auch Lorenzo, der Kellner mit der Stentorstimme im Café della Constanza, der längere Zeit

in Mailand gedient, war kein Deutschenfeind, wenn
man seinen ungestümen ligurischen Geist durch Trink-
gelder zu versöhnen suchte. Er brachte mir stets
statt der gewöhnlichen Michetta das Gisele, wie er
es nannte, d. i. ein Kipfel, wie es Wiener Bäcker,
die sich in Genua angesiedelt haben, liefern, und
gestand, daß die Deutschen besseres Brod als alle
Italiener zusammen zu backen verständen. Als ich
ihn fragte, ob er von keiner Privatwohnung wisse,
äußerte er seine Zufriedenheit darüber, daß es mir
in Genua gefalle und bat mich, nur noch eine Weile
zu gedulden, bis sich der Andrang der Gäste verloren habe. Dann wolle er mich nebenan in's
kleine Albergo della Luna führen, wo ich wohlfeil und gut aufgehoben sein werde. Dienstwil-
lig führte er mich wirklich eine halbe Stunde
später in ein Haus, das in derselben Gasse, doch
höher oben lag.

Der Padrone der Luna war ein hagerer, schwarz-
haariger, olivengelber Mann, ein echter Genuese. Er
war voll Devotion und bat mich, ihm in das zweite
Stockwerk hinauf zu folgen. Dort sperrte er zuerst eine Art Vorsaal, dann ein kleines Zimmer
auf, dessen zwei Fenster auf die Strada dei Orefici
hinausgingen. Die Wände waren nackt und kahl,
die Meubel ärmlich. Alles muthete mich trüb und

dürftig an. Doch der Padrone meinte, es würde
bald ganz anders aussehen, wenn erst Vorhänge
und Spiegel angebracht, der Boden gewichst wäre.

„Und was soll dies Zimmer kosten?" fragte ich.

„Licht und Bedienung eingerechnet, vier Franken täglich. Bedenken Sie nur, wie jetzt, in der
herannahenden Saison der Bäder die Wohnungen
im Preise steigen."

„Und wenn ich das Zimmer auf einen Monat
nehme?"

„Vier Franken täglich macht hundertzwanzig
Franken in dreißig Tagen. Bedenken Sie, wie
freundlich das Zimmer aussehen wird, wenn es erst
vollständig hergerichtet ist. Die Wohnung ist kühl
und dabei doch licht, in der Mitte der Stadt. Sie
können so lange bleiben, als Sie wollen; wenn
Sie ausziehen, berechnen wir die Tage. Auch das
Vorzimmer ist zur Benutzung frei; ein Piano
steht darin."

„Wohlan, ich nehme das Zimmer unter einer
Bedingung. Wenn ich einen Monat geblieben sein
sollte, zahle ich statt hundertzwanzig Franken nur
hundert und zehn."

„O Excellenza, ich berechne nur nach Tagen.
Meine Zimmer stehn nie leer, wie die eines Privat-
quartiers, ich muß daher jeden Tag zu benutzen

suchen — jedoch es sei! Hundert und zehn Franken."

Es mochte zehn Uhr Abends sein, als ich in meine neue Wohnung trat, in welche der Haus= knecht des Hotel de France bereits meine Sachen gebracht hatte. Wohl war das Zimmer hergerich= tet worden, aber wie! Ein armseliges Fähnlein schwebte als Drapperie über dem Fenster, ein faden= scheiniger Hader lag als Teppich vor dem Bett, ein harter, kuhhaargepolsterter Sessel stand vor dem wackligen und wurmstichigen, mit klebrigem Wachs= stoff überzogenen Tischchen. „Du hast's gewollt!" sagte ich unmuthig und verfiel in trübe Gedanken. Dies Zimmer mahnte mich an ein ganz ähnliches im Quar= tier Latin, in welchem ich schlimme Tage verlebt. Ich löschte das Talglicht aus, um eher einzuschlafen.

Eine Weile später war mir, als habe sich etwas im Vorzimmer geregt, doch ich beachtete es nicht, ich wußte, daß ich die Thüre geschlossen hatte. Ich schlief ein. Da weckt mich plötzlich ein Lichtschein, der in mein Zimmer fällt. Ich fahre auf. Ich hatte es nicht beachtet, daß sich oben in meiner Thür ein Fensterchen, von einem hölzernen Schie= ber bedeckt, befinde, das vom Vorsaal aus zu öffnen war. Vor diesem Fensterchen stand ein Mann im Hemd, der ein Licht in der Hand hielt.

„Was gibts?" rief ich.

„Ich besehe mir das Zimmer, in welches mich der Padrone gebettet."

„Sie — gebettet?"

„Ich schlafe im Vorzimmer."

„Das Vorzimmer gehört zu meiner Wohnung."

„Das machen Sie mit dem Padrone aus. Gute Nacht."

Der Schieber ging zu und ich hörte, wie der Nachbar sich auf eine auf die Erde ausgebreitete Matrazze legte. Ich selbst warf mich fluchend wieder in's Bett. Es war ein Uhr geworden.

Kaum war ich eingeschlafen, als ich wieder auffuhr. Ein abscheuliches Brennen, als läge ich auf Nesseln, weckte mich. Abermals muß ich nach dem Feuerzeug greifen — weh mir! Eine Heerschaar ist da jener schleichenden Gäste, die Tags über hinter den Tapeten lauern und des Nachts blutlechzend hervorkommen. Hier eine und dort eine — und dort abermals und abermals! Soll ich den Wirth wecken? Der Nachbar nebenan hat mir die Thüre verriegelt. Ich setze mich auf den kuhhaargepolsterten Stuhl und breite den Mantel über mich aus. Es ist eine Nacht, wie bei der alten Bonavetti . . .

„Signor," sagte ich am andern Morgen zum

Padrone, nachdem ich die Klingelschnur fast zerrissen, „ich habe die heutige Nacht auf diesem Stuhl
zugebracht."

„Wie ist das möglich! Das Bett ist vortreff-
lich. Es sind Stahlfedern darin."

„Vielleicht, aber auch Wanzen."

„Unmöglich, Täuschung! Es gibt keine Wanze
im ganzen Hause. Nicht um einen Napoleond'or
eine zu bekommen! Es wird eine Mücke ins
Zimmer geflogen sein."

„Was schwimmt hier im Waschbecken?"

„Etwas Braunes, aber nimmermehr eine Wanze.
Wie käme die hierher?"

„Auf ihren sechs Beinen. Die ganze Tapete
ist voll von ihnen."

„Heilige Madonna! Kostbare, neue Tapeten!"

„Ich verlasse Ihr Haus, Signor."

„Wie Sie befehlen. Ich mag mit einem Herrn
nichts zu thun haben, der mir mein Quartier ver-
unglimpft: Wenn Sie mir eine lebende Wanze
zeigen, will ich hundert Franken verlieren."

„Wetten ist leicht, da sich diese Thiere bei
Tag verbergen. Ich bezahle diese Nacht und gehe."

„O das nicht, mein Herr! Sie gehn sobald
Sie wollen, aber vorher zahlen Sie die accordirte
Summe: hundert und zehn Franken."

„Hundert und zehn Franken, für eine Nacht auf einem Sessel verbracht!"....

„Es gibt keine Wanzen hier"....

„Nicht Eine, hundert. Sie wetten hundert Franken, es wäre des Teufels, wenn bei solchem Ueberfluß des Artikels" —

Ich sah an die Mauer und hatte nicht vergeblich gehofft. Träg und von Unmäßigkeit schlaff, schlich eben noch ein Ungeheuer seinem Schlupfwinkel zu.

„Padrone, ich frage Sie, was da kriecht?"

„Eine Wanze in der That. Kein Haus in Genua ist davon frei. Es gibt ihrer im Palaste des Vicekönigs, in jedem Zimmer, in jedem Bette! Die Herzogin von Genua kann nicht schlafen vor Wanzen —"

„Sie wetteten aber soeben —"

„Eine Redensart, mein Herr! das ändert nichts an unserer Verabredung. Sie haben auf einen Monat gemiethet, hundert und zehn Franken!

„Keinen Heller mehr, als ich Ihnen für die Nacht schulde. Sie zeigen sich in jeder Ihrer Reden als ein Schubiack."

„Wir werden zur Polizei gehn."

„Sehr gern, Subjecte, wie Sie, finden dort verdiente Abfertigung!"

Die Hausfrau war während dieses Wortwechs=
sels eingetroffen und rief in ihrem Genueser Dialekt
Himmel und Erde zu Zeugen an, daß sie noch
nie einen Fremden von so unverschämtem Betragen
gesehn. Ich rüstete still und emsig den Koffer
und machte mich bereit, zur Polizei zu gehen.

Es war Frohnleichnamstag. Alles bereitete
sich zu einem großartigen Feste vor. Ueber die
Straßen, die der Zug mit dem Allerheiligsten pas=
siren sollte, waren breite, weiße und orangefarbene
Leinwanden gespannt und schaukelten sich leise an
ihren Schnüren; es war als habe Genua, die alte
Königin der Meere, alle ihre Segel in die Lüfte
gehängt. Tausende und Tausende von Rohrstüh=
len standen in Reihen längs den Häusern und
in zwei Reihen quer über die Piazza gestellt. Da=
zwischen und darum wogte ein Gewühl, Kopf an
Kopf. Allmälig kam etwas Ordnung hinein. Die
Frauen, alle wie Bräute mit langen, weißen
Schleiern im Haare, nehmen auf den Sesseln Platz,
die Männer traten zurück. Noch hatte der Zug
nicht begonnen. Aus den Kirchen kamen ganze
Schaaren von Pfaffen und Mönchen in allen er=
denkbaren Kutten. Züge frommer Brüderschaf=
ten in blauen Domino's, die Köpfe von einer
Gugel verhüllt, aus denen durch zwei viereckige

Oeffnungen die Augen durchsahen, eilten vorbei.
Von den Kirchen- und Klosterportalen hingen rothe
Sammtdrapperieen herab, selbst die Säulen hatten
ihren sammtenen Ueberzug und tausend Lichter
schimmerten aus dem Dunkel durch die geöffneten
Pforten. Nun erklangen die schweren Glocken,
langsam, mächtig, majestätisch, Schüsse tönten vom
Hafen her und ein unendliches Surren der Menge
verkündigte das Herannahen des Corpus Domini....

Ich hatte nur ein halbes Auge für dieses Schauspiel. Ich eilte an der Kathedrale San Lorenzo
vorbei, zum Palazzo della Cità, der ehemaligen
Dogenresidenz, worin sich heute das Uffizzio della
Polizia befindet. Der Padrone der Luna wartete
bereits in der Halle, und bald wurden wir beide
vor dem Polizeicommissar gelassen.

Es war ein junger Mann in eleganten Lack-
stiefeln, der mich bat, meine Sache französisch vorzutragen. Ich erzählte, wie der Wirth der Luna
es betont habe, daß er seine Zimmer Tageweise
vermiethe, und die Ermäßigung des Preises nur
eventuell, wenn ich einen Monat geblieben, stipulirt
worden sei. Der Padrone dagegen verlor sich in
eine weitläufige Beschreibung der Schönheit und
Reinlichkeit seiner Gemächer, die er mit Vasen,
Spiegeln, Bildern, Stukaturen, Piano's und Sta-

tuen so herrlich geziert habe, daß jeder Fürst hin-
einziehen könne. Wenn es dort ein paar Wanzen
gebe, so sei das ein Uebel, dem in Genua nicht aus-
zuweichen, der Vertrag laute auf einen Monat.

Der Commissär sann einen Augenblick nach
und sprach dann, seinen kleinen Fuß im Lackstiefel
betrachtend:

„Auf den Vertrag, der übrigens weder von der
einen noch der andern Seite erwiesen werden kann,
kömmt es hier gar nicht an. Der Herr hat die
Wohnung unter der Bedingung gemiethet, darin
wohnen und schlafen zu können. Gesetzt, es reg-
nete durch den Plafond herein, wäre der Vertrag
gelöst. Ebenso hier. Der Herr hat auf einem
Sessel schlafen müssen. Er zahlt Euch vier Franken und damit Basta!"

„Ein junger Daniel ist auferstanden!" rief es in
mir nach der Entscheidung des Commissärs, der
Padrone aber erhob sich aus der sklavischen, demü-
thigen, gebückten Stellung, die er vorher angenommen, plötzlich wie ein Teufel.

„Vier Franken nehmen! Den Herrn ziehn lassen?
Nimmermehr! Ich gehe durch alle Instanzen! Ich
bin ein gekränkter Mann! Ich will meine hundert und zehn Franken und mein Recht!"

„Geht durch soviel Instanzen als Ihr wollt,

verſetzte der Commiſſär. „Den Herrn laßt Ihr ab-
ziehn."

„Aber nicht mit ſeinem Gepäck!" hohnlachte der
Padrone.

„Hoho!" rief der Polizeicommiſſär und hatte
mit einmal die Lackſtiefel und die Zierlichkeit ſeines
Fußes vergeſſen, „kommt Ihr mir ſo? Glaubt Ihr
der Padrone der Luna ſtehe nicht ſchon lange in
den Büchern der Polizei? Seht Euch vor! Es
iſt nicht von Ungefähr, daß die zweideutigſten Leute
von Genua bei Euch einkehren! Vor einer hal-
ben Stunde erſt wurde ein Spitzbube feſtgenom-
men, ein entlaſſener Bagnoſträfling, der in der Luna
übernachtet. Herr," fuhr der Commiſſär fort, „der
Fremde thut gut, in wohlempfohlenen Gaſthöfen
zu bleiben. Doch eine Frage.... haben Sie Ihre
Uhr bei ſich?"

Ich griff in die Weſtentaſche und fand zu meiner Beſtürzung, daß ſie leer war.

„Ich muß meine Uhr in der Eile und Aufregung des heutigen Streits", ſagte ich, „in der Luna
gelaſſen haben. Ich habe ſie an einen Nagel über
meinem Bette aufgehangen."

Doch in dieſem Augenblick fiel mir das Fen-
ſterchen mit dem hölzernen Schieber in meiner Zim-
merthür ein. Wie leicht war es, mittelſt eines

A. Meißner, Durch Sardinien.   10

Hakens durch dieses Fenster irgend etwas in der
Nähe des Bettes Befindliche wegzufischen!

Der Polizeicommissär beobachtete mich eine
Weile, endlich sagte er: „Ihre Uhr ist hier, in
einem Bureau nebenan. Sie werden sich als ihren
Eigenthümer legitimiren, indem Sie den Namen des
Uhrmachers bezeichnen, der auf dem inneren Blatt
des Gehäuses eingravirt steht. Guten Morgen,
mein Herr! Ein Gensdarm wird sich in der Luna
einstellen, damit Ihrem Abzuge kein Hinderniß
entgegengestellt wird. Sie, Signor Padrone, blei=
ben vorerst hier, um mit dem Dieb, den Sie heute
Nacht beherbergt, confrontirt zu werden.“

Er öffnete die Thüre und rief nach einem
Gensdarm.

Einen Augenblick später hatte ich die Uhr wie=
der. Es war kein Zweifel, daß sie mit einem
Draht durch das bewußte Fensterchen herausge=
holt worden war. Der Polizeistaat stand in seiner
ganzen Glorie, als habe er das allsehende Auge der
Vorsehung, vor mir; ich nahm mir vor, sobald nicht
wieder Uebles von ihm zu reden.

Auf der Straße wogte noch immer das Ge=
wühl des Frohnleichnamstags, die Glocken hallten.
Ich ging ins Hotel de France, um den Hausknecht
zu holen und meine Rückkehr anzukündigen. In

der Luna stand schon der Gensdarm, mir zum
Schutze.

„Ha, die Polizei! die Polizei von Turin!" keifte
die Padrona, während der Hausknecht die Sachen
zusammenband, „die sorgt für den Genuesen! Sei
Einer ein Engländer, ein Franzose, ein Russe,
irgend ein hergelaufener Ketzer, dann mag er sicher
sein, bei ihr Recht zu haben! Welche Zustände!
Welche Regierung! Der Genuese ist nur noch
ein Stiefkind im Lande!"

Die Xantippe keifte, jammerte und verwünschte
tausendmal die vier Franken, die ich ihr auf den
Tisch warf. Ein paar Minuten darauf hatte ich
die Gemächer der Luna mit ihren Vasen und Bildern, Spiegeln und Stukaturen, Statuetten und
sonstigen Herrlichkeiten verlassen. Im Hotel de
France war mein Zimmer mit der Aussicht auf
den Molo noch unbesetzt. Aufathmend nach all
diesen Plackereien, nahm ich dem Bilde der Judith
gegenüber mein Frühstück ein, überglücklich, so
leichten Kaufs aus einem coupe-gorge entkommen
zu sein. Doch der Plan, länger in Genua zu
bleiben, hatte durch all diese Vorgänge einen Riß
bekommen; und als im Verlaufe des Tages gewisse
Nachforschungen in der Bibliothek kein Resul-
tat gaben, hielt mich nichts mehr. „Berge ohne

10*

148

Bäume, Meer ohne Fische, Männer ohne Treue."
Dies alte Sprüchwort auf Genua schien mir recht
wahr.

Abends befand ich mich auf dem kleinen Dampfer; der allwöchentlich nach der Insel Sardinien
abgeht.

Zwölftes Kapitel.

Auf der Insel Sardinien. — Cagliari. — Mein Cicerone. — Römische Ruinen. — Grabesbewohner. — Im Museum von Cagliari.

Nach einer endlos scheinenden Seefahrt von vierzig Stunden kam ich im Hafen von Cagliari an. Wir waren um die ganze Ostseite Corsicas herumgefahren und hatten die mächtigen zackigen Gebirge, die endlich zum Kegel des Monte Rotondo heranwachsen, im klaren Tageslicht vor uns liegen sehen. Weiter ging es nun, durch das blaue, tyrrhenische Meer und am zweiten Abend kamen die buccinarischen Inseln in Sicht. — Wir umfuhren nun die ganze Ostseite Sardiniens, wie wir vorher die von Corsika umfahren. Leider hatte ich von der Seekrankheit viel zu leiden und mußte den größten Theil des Tages unten in der Cajüte zubringen; da lag ich in jener dumpfen Theilnahmlosigkeit, die dies Uebel immer begleitet.

Als der zweite Morgen graute, näherten wir uns bereits dem Cap Elias, in kurzer Zeit mußten

wir in Cagliari sein. Ich fühlte mich plötzlich ge=
sund und konnte festen Schrittes aufs Verdeck hin=
aufgehen. Es war ein herrlicher Morgen; freudig
rauschten die blauen Wellen und kühn und kräftig=
sicher verfolgte das Schiff seinen Lauf. Allmälig
verzog sich der letzte Nebeldunst, der um die Küste
strich, mit hellen, weißblitzenden Häusern stieg eine
Stadt, amphitheatralisch erbaut, zwischen kahlen,
blaßgrauen und röthlichen Berglehnen empor.

Cagliari liegt an der Mündung des Flusses
Malargia um einen weiten Meerbusen herum und
auf den Anhöhen, die hinter der Bucht emporragen.
Zuunterst liegen Viertel, die nur als Vorstädte
gelten: La Marina, von Festungswerken umgeben,
gegen Westen; Villanova gegen Süden; weiter
hinten, ziemlich jäh den Berg hinansteigend, er=
scheint die eigentliche Stadt, il Castello genannt,
auf deren Spitzen das Castell mit seinen Thürmen,
ein uraltes Festungswerk von den Pisanern erbaut,
steht. Zwischen la Marina und Castello liegt Stam=
pache. Weiterhin dehnen sich Lagunen hinaus,
heiße Sümpfe, welche das Material für die sardi=
nischen Salinen liefern.

Der Busen von Cagliari, durch die weit vor=
springende südöstliche Landspitze Capo Carbonaro
geschlossen, bietet eine große, sichere Rhede. Der

Anblick ist groß, aber ernst. Auf dem trockenen
Felsboden ringsum kommt nur die Agave und
der Cactus, kein Baum fort. So ungefähr malt
sich die Phantasie eine Stadt auf der syrischen
Küste.

Der Kofferträger, eine Art Wilder, von bräun-
licher Ziegelfarbe und nur aufs Nothdürftigste bekleidet, lief so schnell mit meinem Gepäck voran, daß ich
alle Mühe hatte, ihn im Gedränge nicht aus den
Augen zu verlieren. Er schien nicht sowohl ein
Kofferträger als vielmehr ein Kofferräuber zu sein.
Doch lenkte er nicht, wie ich eine Zeitlang glaubte,
in die Berge, sondern in einen Gasthof der Vorstadt Stampache ein, ein ödes und schmutzig aus-
sehendes Haus, in dem ich nun nolens, volens meine
Herberge suchen mußte.

Eine Stunde später stand ich auf der Gasse,
inmitten des Marktgedränges und wahrlich in einer
fremden Welt, als ein alter kleiner, buckliger Mann
an mich herantrat. „Ich sehe," redete er mich an,
indem er den Hut lüftete, „daß Du ein Fremder bist.
Eine Schande wäre es, wenn solch ein Herr in
Cagliari auf der Gasse stehen bleiben sollte und
Niemand sich fände, der ihn führte! Ich will
Dein Cicerone sein und Dir die Merkwürdigkeiten
der Stadt zeigen. Aus dem Wege, ihr Leute,"

sprach er, eine Gruppe kleiner, schwarzer Lazzaro=
nis mit heftiger Geberde anfahrend „dieser fremde
Herr will mit mir gehn! Diese hier" sprach er
zu mir gewendet, „würden Dir was Rechtes zeigen
können! Solchen Herrn muß ein Mann von Bil=
dung und Belesenheit führen, kein Lump, kein un=
wissender, patoisredender Tagedieb."

Mir gefiel der kleine Bucklige und ich überließ
mich seiner Führung.

„Du siehst in mir" sprach der Kleine, nachdem
er seine zerrissenen Schuhe gebunden und den Rock,
der auf einer Bank neben dem Hausthor lag, an=
gezogen hatte „Du siehst in mir einen Advokaten
aus Cagliari, Don Pascal Fiordigianus, einen
Adeligen. Und zwar wurde ich nicht adelig durch
Erlangung der Advokatur, wie es auf dieser ge=
benedeiten Insel das Gesetz feststellt, sondern ich
stamme aus einem altadeligen Hause, das aber
leider schon seit Menschengedenken keine guten Tage
sieht. Du wunderst dich, Herr, einen Mann von
edlem Blut, von Gelehrsamkeit und feinen Sitten
in diesem Anzuge und genöthigt zu sehn, seine
Dienste als Cicerone anzubieten? Eine lange Reihe
von Cabalen, die Dir hier zu erzählen zu weitläufig
wäre, hat mich dahin gebracht. Wenn es Dir
länger in Cagliari gefallen sollte und Du Abends

in die Schenkstube der Schlange, in welcher Du
wohnest, herabkommen solltest, werde ich Gelegen=
heit haben, Dir die Geschichte meines Lebens
zu erzählen, aus welcher manche Lehre zu ziehen
ist."

Wir gingen, während Don Pascal Fiordigianus
so sprach, durch das Viertel Stampache zum Castello
hinan. Die Hauptstraßen find breit, reinlich, wohl
gepflastert, aber für Fuhrwerke zu steil! Vor einer
alten, geräumigen, aber verwahrlosten Kirche blieb
mein Führer stehn. „Dies" sagte er „ist die Kirche
des heiligen Lucifer. Du wirst als Fremder Dich
wundern, den Namen des Fürsten der Finsterniß
hier einem Heiligen beigelegt zu finden. Wisse aber,
daß dieser Lucifer ein Bischof unserer Stadt im
vierten Jahrhundert gewesen, ein Freund und Zeit=
genosse des großen Athanasius. Wiewohl wir
Leute von Cagliari ihn immer verehrten, blieb seine
Heiligkeit ungewiß, bis Pius der Siebente auf die
Bitte des Vicekönigs, spätern Königs Carlo Felice,
ihn heilig sprach. Es ist gut, daß seitdem dem
Lucifer in der Hölle ein anderer im Himmel gegen=
übersteht."

In Castello liegen die vorzüglichsten Gebäude
der Stadt: der Palast des Vicekönigs, mit einer
prachtvollen Fronte, der mit Marmor überkleidete

Dom, die Münze, das Theater und die Universität,
eine Hauptzierde der Stadt. Von der Terrasse derselben hat man die herrlichste Aussicht auf das Meer,
die Darsena, die Salinenteiche und die ringsumlie-
genden Vorstädte. Ganz nahe dabei erhebt sich
der sogenannte Elephantenthurm.

Auf diesen Thurm schien der landsmannschaftliche Stolz meines Führers besonders viel zu geben.
„Sieh diesen Campanile" sagte er, „er ist höher
als der weltberühmte Thurm von Pisa, ein Werk
der Pisaner vom Jahre 1307; man weiß nicht, ob
man sich mehr über die Schönheit seiner Architec-
tur oder über seine Wohlerhaltenheit wundern soll.
So sorgfältig ist seine Steinverkleidung, daß sie
wie eine große Marmorfläche aussieht und ihre
schöne rothe Farbe hat nicht ihres Gleichen. Du
frägst, warum er der Elephantenthurm heiße? Siehe
über dem Eingang den kleinen Elephanten aus
Marmor zwischen verschiedenen Wappenschildern!
Er ist hier, weil unsere Insel so oft die Elephanten
von Carthago sah! In unserem großen Museum,
das Du auch besuchen mußt, wirst Du ihre mächtigen Gebeine finden."

Diese Beziehung auf Carthago entzündete meine
Phantasie. Ich wollte plötzlich alles sehen, was hier
an die phönicische Herrschaft noch mahnen konnte.

Gleich wäre ich ins Museum gegangen, aber mein Cicerone meinte, daß der Eintritt nur nach vorläufiger Meldung möglich sei.

Nach dem Essen wollte ich sehen, was von Ruinen des alten Calaris noch übrig ist und Florbigiamus war abermals erbötig mich zu führen. Man geht zur Stadt hinaus, an der kleinen Kirche San Paolo vorbei und sieht die Trümmer von den Teichen aus bis gegen St. Saturnin zu, vom Meere bis hoch die Anhöhe hinanreichen. Das Amphitheater, dessen mächtige Ringmauer noch sichtbar ist, gibt ein Maaß für die Größe und Bedeutung der Stadt: es konnte mindestens zwanzigtausend Zuschauer fassen. Somit steht es, was den Umfang betrifft, in erster Rangordnung unter den noch vorhandenen römischen Monumenten. Es würde einen großartigen Anblick bieten, wenn nicht Tausende von Quadern im Innern und draußen in wilder Zerstörung herumlägen.

Im Felsen sieht man tiefe Cisternen, die in neuerer Zeit von ihrem Schutt befreit und für die Bewohner Cagliari's brauchbar gemacht wurden. Hinter diesen läuft ein Aquädukt von fünfundvierzigtausend Metern Länge, ein wunderbares Zeugniß römischer Thatkraft, das die Vandalen oder Mauren zerstört haben. So groß angelegt ist die

Wasserleitung, daß ein hochgewachsener Mann in ihr herumgehen kann, ohne sich bücken zu müssen.

Noch merkwürdiger als alles dies ist die ungeheure Nekropolis, die sich in den Kalkhügeln von St. Avendres befindet. Sie stammt aus einer noch früheren Zeit als Amphitheater und Aquädukt, nämlich aus der Zeit der punischen Herrschaft. Freilich haben später auch Römer hier ihre letzte Lagerstätte gefunden. Leider ist der Zugang zu diesen Gräbern sehr schwierig, man muß auf Händen und Füßen kriechen und kann sich nirgendwo aufrecht stellen. Doch sieht man noch wie einzelne Todtengemächer ihren Mörtelbeschlag und verschiedene Sculpturarbeiten bewahrt haben. Die wohlerhaltenste dieser Grabstätten, weil sie eine der letzten ist, nennt das Volk grutta dessa pibera; in ihr hat, wie die Inschrift besagt, der Prätor L. Philippus seine Gattin Pomptilla beigesetzt. Sie ist tief in den Felsen gegraben und hat einen säulengestützten Portikus. Zwei Schlangen sind über dem Fronton ausgemeißelt und mehrere griechische und lateinische Inschriften bedecken die Seitenwände.

In viele dieser Grabstätten sind jetzt proletarische Familien eingezogen, und leben darin in

Elend und Unflath. Gestalten in Lumpen gehüllt,
wilde, düstre, abgezehrte Hungergestalten erschienen,
als ich vorüberging, am Eingang ihrer Wohn-
stätten, Kinder kamen mir bettelnd nachgelaufen.
Eine junge Frauensperson, die in einem solchen
Grabe wohnte, saß vor ihrer Thür auf einem zer-
brochenen Säulensockel. Sie hatte ihr Kind im
Arme, es war eingeschlafen, eine schreckliche Geschichte war auf ihrem blassen, schönen Gesichte ge
schrieben, sie sah mit einem almosenbittenden Blick
beredsam zu mir empor. Ich legte ihrem Kinde,
dem unbewußten Bettler, was ich an kleiner Münze
hatte, in den Schoos und mußte mich, ehe ich .
um den Hügel kam, noch öfter nach ihr umsehn.
Das Grabesmädchen war mir wie ein phan-
tastisches Wesen, halb Gespenst, halb Weib erschienen . . . . .

Es war spät geworden, als ich vom Besuch
dieser Ruinenstätte zurückkam. Die Stadt mit ihren
Castellmauern, das seltsam zerrissene Gebirge, die
weiten Lagunen, vom Widerschein des Abend-
himmels glänzend, boten ein ödes und trauriges,
aber großartiges Bild. So seltsam war mir zu
Muthe, daß ich kaum wußte, ob ich träume oder
wache. Der Himmel hatte eine unheimliche, düstere

Röthe, wie von einer weitverbreiteten Feuersbrunst. Es war ein afrikanischer Himmel, kein italienischer mehr, und erfüllte das Gemüth mit Melancholie ja mit Schrecken. Der steinige Boden, allenthalben von Trümmern und Dorngestrüpp bedeckt, stand mit allem Uebrigen im Einklang. Die Seele konnte sich lebhaft unter das wilde, fanatische Volk zurück= träumen, das einst hier geherrscht und die Röthung des Horizonts, die allmählig verlosch, konnte sich die Phantasie als von einem glühenden Molochbilde herrührend deuten . . . .

Am nächsten Morgen besuchte ich das Museum von Cagliari. Gleich beim Eintritt in dasselbe be= gegnet man mehreren römischen Sarkophagen, die von Bonaria, einer Anhöhe unfern der Hauptstadt, herrühren. Doch dergleichen sieht man oft. Merk= würdiger waren mir die Reste aus phönicischer Zeit, welche man sonstwo so selten zu Gesicht bekömmt. Hier sind sie es nicht. Phönicier waren be= kanntlich die ersten Colonisten der Insel, sie wa= ren es, wenn man den Etymologen trauen darf, die ihr den Namen gegeben haben. Sareth bedeu= tet die ausgespreizte Hand und mit einer solchen haben Römer und Griechen noch späterhin die Ge= stalt der Insel verglichen. Die Herrschaft Cartha=

go's, die sich fast über ganz Sardinien ausbreitete, dauerte 268 Jahre. Das Joch war schwer, furchtbar blutig, wie es in der Art dieses Volkes lag. Alles geschah, um die Insel unwirthbar zu machen. Nichtcarthager, die man handeltreibend ergriff, wurden ohne Erbarmen ersäuft. Das Museum weist eine ganze Reihe, mehrere hundert phönicischer Idole auf, meist weibliche Figuren, Astarten von abschreckender Obscönität.

In einem zweiten Saal sieht man eine ziemliche Anzahl römischer, punischer und saracenischer Münzen, Fragmente von Vasen, Glasprodukte zu verschiedenen Zwecken bestimmt. Eine Marmortafel mit einer phönicischen Inschrift ist in den Cascinen der barmherzigen Brüder zu Pula ausgegraben worden. Sie enthält in acht Zeilenreihen fünfundvierzig Buchstaben, die hebräischen gleichen. Nach des Custode Ausspruch sollte die Inschrift folgendes bedeuten:

„Sosimus, ein Fremder, schlug hier im hohen Alter sein Zelt auf. Sein Sohn hat ihm dies im Grabesgarten gestiftet," — aber Sosimus ist kein phönicischer Name und somit scheint mir auch das Uebrige zweifelhaft.

Endlich sieht man römische Rüstungen, Waffen und Pflugschaaren. Beinschienen aus Bronze, die

160

zu St. Antioch aufgefunden worden, sollen nach dem Urtheil der Kenner weder aus dem Mittelalter, noch aus der Römerzeit herrühren, müssen also einer noch früheren Epoche angehören.

Dreizehntes Kapitel.

Es war in Cagliari, wo Karl V. seine berühmte Seeexpedition gegen Tunis und Goulette ausrüstete. Der Hafen, der jetzt so todt und öde da liegt, und in welchem nur zehn bis zwanzig kleine Fahrzeuge ankern, war damals der allgemeine Sammelplatz der verbündeten Mächte; es fanden sich dort zur selben Zeit die Schiffe von Spanien, Portugal, Neapel, Sizilien, die Galeeren von Genua und Rom, Venedig und Malta ein. Lange lag die ungeheuere Flotte, um auf sechs Monate verproviantirt zu werden, im Hafen des alten Calaris und erfuhr nicht den geringsten widrigen Zufall; so genau passen die Verse Claudians:

Urbs Libiam contra
Tenditur in longum Caralis.
Efficitur portas medium mare tutaque ventis
Omnibus ingenti mansuescunt stagna recessu.

A. Meißner, Durch Sardinien.   11

Der Name Karl V. berührt im fremden Lande wie eine landsmannschaftliche Erinnerung. Karl war ja der Enkel Maxens und eigentlich der letzte deutsche Kaiser. Wird sein Name genannt, so gruppiren sich um diesen blitzgleich die Namen Sickingen, Hutten, Reuchlin, Luther, man ist im deutschen Worms, im flämischen Brüssel. Hier also ist er auch gewandelt, der gewaltige Mensch, in dessen Reich die Sonne nicht unterging, unter dem es schien, als ob der Thron des deutschen Kaisers ein Thron der ganzen Christenheit werden wolle und unter dem die neue Lehre erwachte. Wie stände es um Deutschland heute, wenn er, wie es eine Zeitlang schien, sich auf ihre Seite geschlagen hätte! Doch Karl wollte die Weltherrschaft, er mußte, daß die romanischen Völker dem großen Zug nicht folgen konnten, der damals wie ein Sturm durch die germanische Welt fuhr, und um seine Welt nicht zu spalten, ward er der Feind der Bewegung und kämpfte sich müde an ihr, bis er in's Kloster von St. Just ausruhen ging.

Doch noch eine Erinnerung überkömmt den Deutschen, der hier fern vom Vaterland träumt. Gehn wir noch weiter in der Geschichte zurück, so finden wir ja einen deutschen Königssohn, der in Cagliari wohnte und König von Sardinien war.

Es ist der Sohn Friedrichs II., der letzte Sprosse
der Hohenstaufen — König Enzio.

Es gibt wohl wenig so poesievolle Gestalten wie
dieser Enzio, der so schön und so tapfer, ein Dichter
und ein Held war, der von seinem Vater zärtlich geliebt,
an ihm mit einer unbegrenzten Liebe hing, der ihm
in all seinen furchtbaren Kämpfen gegen das Pabst=
thum zur Seite stand und das schreckliche Loos
hatte, den Untergang seines glorreichen Hauses an=
zusehn und von sieben und vierzig Jahren vier
und zwanzig im Kerker zuzubringen.

Sechszehn Jahre war der schöne Enzio, als er
sich auf den Wunsch seines Vaters mit Adelasia, der
Wittwe Ubaldo's, des letzten Königs der vereinigten
sardinischen Reiche von Torres und Gallura ver=
heirathete. Bis an den Gürtel reichte sein blon=
des Haar, an Heldenmuth und Körperkraft war
er allen Rittern seiner Zeit überlegen.

Rasch hatte er die beiden andern kleinen König=
reiche, in welche die Insel getheilt war, erobert,
und erhielt von seinem Vater den Namen eines
Königs von Sardinien.

Doch Weib und Reich mögen ihm nicht son=
derlich gefallen haben. Adelasia war gerade noch
einmal so alt wie er, und als er Sardinien erobert
hatte, wollte seine Thatkraft nicht rasten; sein Va=

11*

ter rief ihn zurück, und ernannte ihn zum Statt-
halter Italiens.

Gregor IX. hatte Friedrich in den Bann gethan und ließ gegen den römischen Kaiser den
Kreuzzug predigen. Die kaiserliche Krone ward
als ein erledigtes Gut Jedem angeboten, der Lust
darnach trüge, sie zu erobern. Auch auf Enzio
fiel der Bannstrahl. Da drang er vor in die Mark
Ankona und Ferrara mußte sich ergeben.

Gregor, der neunzigjährige Greis, hatte sich über
die Niederlage der Seinen zu Tode gegrämt, Friedrich konnte eine Zeitlang Athem schöpfen. Da fachte
Innocenz IV. den Krieg wieder an, er befiehlt
den Deutschen ein anderes Oberhaupt zu wählen,
der Kampf in der Romagna beginnt aufs Neue.
Der Muth der Kämpfer war derselbe, nicht das
Glück. Der drei und zwanzigjährige Enzio gerieth
in die Gefangenschaft der Bürger von Bologna.

Zwanzig Jahre saß er in Bologna und sah
zuerst seinen Vater, den großen Friedrich II., dann
seinen Halbbruder Konrad ins Grab fahren. Sardinien war in den Besitz der Republik Pisa gefallen, die es abermals in vier Dynastien theilte,
sein Weib Adelasia hatte sich scheiden lassen
und einen Anderen geheirathet. Da, im Kerker
dichtete Enzio die schönen Lieder, die noch immer

erhalten sind. Auch die Liebe kam, ihn zu trösten.
Die schöne Lucia Viadogli, die Tochter einer an=
gesehenen aber armen Bologneser Familie ließ sich
mit ihm in seinem Kerker trauen.

Die Nachricht vom Tode Konradin's, der mittler=
weile unter dem Beil des Henkers gefallen, spornte
Enzio an, das Aeußerste zu wagen, war er
nun doch der allerletzte vom Hause Hohenstaufen.
Er will die Reste der ghibellinischen Parthei sam=
meln. Zwei Freunde sind ihm zur Flucht behülf=
lich und schaffen ihn in einem leeren Weinfaß aus
der Burg heraus. Schon ist er an den meisten
Wachen vorübergekommen, da verräth ihn eine
Locke seines Haars, die durch das Spundloch heraus=
gefallen. Die Mitverschwornen enden auf dem
Schaffot, Enzio wird in ein noch engeres Verließ
zurückgebracht und stirbt bald darauf.

Die Sarden behaupten, Enzio habe in der kur=
zen Zeit, als er König über Sardinien war, ty=
rannisch regiert; vermuthlich herrschte er so, wie
es diesem Volke angemessen. Den Deutschen aber
freut es, daß keine Scholle Erde in der ganzen
weiten, meerumspülten Welt ist, wo sich nicht deutsche
Kraft und deutscher Muth einst geltend gemacht
und erprobt haben. Auf der Schwesterinsel Cor=
sika hat ja auch einmal ein Deutscher den Thron

bestiegen. Theodor von Neuhof mag ein Abentheurer und ein Schwindelgeist gewesen sein; aber gering war die Kraft keinesfalls, die ein Volk, wie die Corsen bändigte.

So in Gedanken und Träumen ging ich längs des Quais von Cagliari mitten unter einem wildfremden Volke spazieren. Der Mensch ist ein seltsames Phantasiewesen. Selbst der bloße Gedanke, daß Menschen seines Stammes irgendwo, wo er eben wandelt, gelebt und geherrscht haben, vermag ihn zu beleben. Von Allen, die durch ihre Thaten im Gedächtniß der Geschichte geblieben, reicht eine magische Kette herüber und greift man nach ihr, ist man nicht mehr einsam.

Der Abend war da, der Elephantenthurm blickte im Abendglanz fast purpurn herunter.

Was ich um mich herum sah, war alles furchtbar unheimlich. Häuser liegen am Ufer, jedes wie eine Höhle für Dämonen, jedes Einsturz drohend; es sind keine Häuser, es sind Gassen bewohnter Ruinen. Hier und da steht eine Gruppe Matrosen und Fischer, ihre Gesichter sind gelb, ihre Augen, schwarzumrändert, blicken dämonisch den Fremden an. Jeder Einzelne ist ein Typus von Haß, Zorn, Rachsucht. Hier treibt ein Kerl mit einer rothen Mütze auf dem Kopfe ein Maulthier, das viel zu ſchwer belaſtet iſt, den jähen Abhang der Straße hinauf. Das Thier bricht von Zeit zu Zeit zuſammen; er, ſelbſt wuthſchäumend wie ein Thier, haut es mit einem Knittel in die Beine, daß man meint, der Mann müſſe ihm die Knochen zerhaun. Weiber ſieden und braten in offenen Boutiquen und rühren in ſchwarzen Keſſeln wie Hexen herum, eine ſchmutzige, halbnackte Kinderbrut treibt ſich in den Goſſen umher. Doch was iſt dort bei den Verkaufsläden? Welch Gewühl, welcher Lärm? Ein paar Matroſen haben irgend ein Hazardſpiel geſpielt und ſind darüber in Streit gerathen. Der Eine iſt alt, ganz ergraut, aber von kräftigſtem Bau, der andere jung, klein, unterſetzt. Sie faſſen einer den andern an die Gurgel — ſie ringen — die Meſſer blitzen — der Alte liegt im Blut!

Fort! fort!

Von der Höhe, die Straße hinab, kömmt eine Prozeſſion, vier Mädchen tragen eine hölzerne Madonna. Andere folgen mit Fahnen.

Der Mörder entflieht, die Rufe, die ihm nachdröhnen, vermiſchen ſich mit dem Geſange des Prozeſſionsliedes.

Vierzehntes Kapitel.

Reiſe im Eilwagen. — Die Bäder von Barbara. — Uras. — Hirtenkönigsgräber.

Von Cagliari aus führt die große und in beſtem Stande erhaltene Centralſtraße nach Saſſari. Dieſe Chauſſee durchſchneidet die Inſel in ihrer ganzen Länge in einer Ausdehnung von 230 Kilometer oder 127 italieniſchen Meilen, und iſt gleichſam ein Durchhau durch den Wald der Unkultur und Barba=rei, der hier noch ſo urzuſtändlich, wie wohl kaum noch in einem andern europäiſchen Lande, gedeiht. Die Chauſſee entſendet gleich unten einen Arm öſtlich nach Jngleſias, weiter oben einen Arm öſtlich nach Bona, auch der ſeitwärts liegende Hafenplatz Alghero iſt mit der Hauptſtraße verbunden; die größte Partie des Landes, z. B. die ganze, wilde Provinz Ga=lurra hat kaum Vincinalwege und iſt heutzutage noch das, was ſie vor Jahrhunderten geweſen, eine Wildniß, in welcher nomadiſirende Hirten obdach=los umherſchweifen.

Ich hatte Anfangs eine große Abneigung gegen
den Eilwagen, der mir wenig Zeit lassen würde,
das Land etwas näher kennen zu lernen, aber ich
sah bald ein, daß es eine Thorheit wäre, die ganze
Reise, wie ich sie ursprünglich im Sinne gehabt, theils
zu Fuß, theils zu Pferde zu machen. Die Entfernung von Cagliari bis Oristano beträgt allein
sechszehn deutsche Meilen, und führt durch die in
pittoresker Beziehung uninteressante Ebene Campidano. Uebrigens war der Sommer, der eine Zeit
der Fieber ist, weit vorgerückt. Ich nahm also
vorerst den Platz im Wagen nur bis Oristano.
Von dort aus würde ich ja sehn, wie ich weiter
käme.

Die Gesellschaft in der Diligenza reale bestand
aus zwei Landwirthen aus der Provinz Galurra,
einer wassersüchtigen Frau, die in das Bad von
Sardara reiste, einem Mönch aus dem Kloster der
unbeschuhten Brüder des Sankt Franciscus zu
Sassari, einem Bürger von Oristano und mir. Der
Conducteur, ein bärtiger, wild entschlossen aussehender Mensch, hatte seinen Platz in der Höhe, in
einer Art von Coupé, von dem er auf den Kutsch-
bock herabsah. Ich sah ihn, in einem Arm ein
paar Pistolen und einen mächtigen Säbel, in
dem anderen einen kleinen schwarzen Pintscher tra-

gend, zu seinem Horste emporklettern, dann ertönte
ein Signal mit dem Posthorn und mit wildem Zu-
ruf und lautem Peitschengeknall trieb der Postillon
sein Viergespann über das schlechte Pflaster der
Vorstadt Stampace dahin.

Nicht zwei volle Stunden von Cagliari liegt
Monastir, ein Dorf mit einem Kloster der Kapu-
ziner, malerisch auf einem dunkelbraunrothen pyra-
midalen Felskegel gelegen. Zwei Flüsse: die Fla-
minedda und Calavita wurden passirt, zwei langsam zwischen Felsblöcke und Röhricht hinsickernde
Wässer in ungeheuren flachen Betten. Vor uns
breitete sich nun der Campidano als eine unabseh-
bar weite, fruchtbare und bebaute Ebene aus. Der
Baum, dem man hier am häufigsten begegnet, ist
die Olive mit dem verkrüppelten Stamm und den
grauen Blättern. Vielleicht mehr als irgendwo sonst
im Süden genießt dieser Baum hier Verehrung. Ein
königliches Decret, das noch vor fünfzig Jahren
bestand, verlieh jedem Sarden den Adelsbrief, der
eine gewisse Anzahl von Oelbäumen gepflanzt hatte,
und im Gegensatz dazu wurden, wenigstens im Ju-
dicat von Arborea, einem Gesetz zufolge, das aus
dem siebzehnten Jahrhunderte stammte, jene excom-
municirt, welche die Oelbäume ihrer Feinde anzündeten. Nebst der Olive sieht man auch Palmen.

Fast jedes Dorf hat seine Gruppe oder sogar seinen kleinen Hain von Palmen, der ihm einen phantastischen Schmuck verleiht. Um die einzelnen Mais- oder Weizenfelder, um die Vignen und Gehöfe ziehen sich Hecken von Fackeldisteln, eine undurchbringbare Schutzwehr.

Die Landleute und Hirten, denen wir begegneten, waren sämmtlich beritten und alle mit einer langen Flinte und einem Messer bewaffnet. Sie trugen einen Mantel von gegerbtem Leder, einen breiten, schattenden Strohhut, ein rothes Wams. Ihre Gesichtsfarbe war dunkelbraun: immer wieder wurde man erinnert, daß die ersten Bewohner Sardiniens Afrikaner und Phönizier, die spätern Mauren gewesen.

Die beiden Galuresen schliefen in den Wagenecken, aber der Franziscaner hatte sich mit der wassersüchtigen Frau in ein Gespräch eingelassen und versuchte sie durch Lobpreisung der heilthätigen Quellen von Sardara zu trösten. „Von diesen Wässern", sagte er, „ist es seit undenklicher Zeit anerkannt, daß sie nicht nur medicinisch erklärbare, sondern auch mystische Eigenschaften besitzen. Ein Dieb, ein Räuber, ein des Meineids Schuldiger, der sich mit dem Wasser die Augen benetzt, würde auf der Stelle blind werden. Anderer-

seits finden ,fromme und gottesfürchtige Menschen dort beinahe zuverlässig Linderung ihrer
Leiden." Allmälig näherten wir uns dem so ge-
priesenen Bade; es war ein kleines verwahrlostes
Städtchen, in welchem weder etwas von einer Trink-
halle noch von einer Badeanstalt zu sehen war.
Ein paar Gestalten auf Krücken waren das Einzige, was auf einen Kurort deutete. Und doch
sind die Quellen von Sardara die einst so berühmten ὕδατα Ἀψοιταυα, von denen Ptolomäus erzählt.
Rückgang und Verfall allenthalben!

Der nächste größere Ort ist Uras. Hier wurde
ein längerer Halt gemacht und das Diner verzehrt.
Uras ist ein Dorf, durch eine Schlacht berühmt,
die Leonard von Arragonien gegen den Vicekönig
Carroz gewann. Nikolaus Carroz war einer jener
vier Richter von Sardinien, die, nachdem die Pisaner vertrieben worden waren, von Arragonien
eingesetzt wurden. Er war zuerst Herr von Arborea, wie man die südliche Provinz der Insel
nannte, strebte aber nach der Alleinherrschaft und
erklärte sich zuletzt unabhängig. Von seiner Veste
San Michele, welche die Fläche von Uras domi-
nirt, beherrschte er das Land auf die despo-
tischeste Weise. Eine seiner letzten Thaten war, daß
er die Gräfin von Sanluri, seine Feindin, anklagte,

seinen Sohn durch Zauberkünste um's Leben gebracht zu haben. Die Gräfin, eine höchst ener-
gische Frau, hatte allen früheren Anklagen, daß sie
an Verschwörungen gegen Carroz theilgenommen,
entgegenzutreten gewußt; nun fiel sie als Opfer
eines imaginären Verbrechens; sie wurde verbrannt.

Die Sonne war im Sinken, als wir auf die
Ebene hinter Uras hinauskamen. Ihre rothen
Scheidestrahlen beleuchteten noch eine mächtige No-
raghe, die sich seitwärts von der Chaussee erhebt.
Noraghen nennt man die Gräber kleiner Hirten-
könige aus der Zeit der pelasgischen Colonieen.
Es sollen ihrer über sechshundert auf Sardinien
sein. Die unversehrten sind an fünfzig Fuß
hoch; haben oft an der Grundfläche einen Durch-
messer von neunzig Fuß und endigen am Gipfel
mit einem eingedrückten Kegel. Sie scheinen wie
die Gräber in der römischen Campagna ganzen
Familien gedient zu haben. Aus Erdreich aufge-
thürmt, sind sie, theilweise wenigstens, mit Stein-
blöcken überkleidet, aus deren Ritzen Strauchwerk
emporwächst. Die meisten sehn wie Ueberreste
mächtiger Festungsthürme aus und sind, da sie in
der Regel ein achteckiger Wall umgiebt, auch
für Festungswerke gehalten worden. Nichts wird
gethan, um diese in ihrer Art einzigen Denk-

mäler einer uralten Zeit zu schonen. Die Hirten tragen zum Bau ihrer Häuser so viel Steine
davon, als sie nur können und andere Noraghen
sind, weil man in ihnen Schätze vermuthet, die sich
jedoch nie finden sollen, von Grund aus zerstört
worden.

Allmählig kam die Nacht heran, jeder machte
sich's in seiner Wagenecke bequem, der Franziskaner-
mönch zog seinen Rosenkranz hervor und betete
lange, ohne sich durch das überlaute Schnarchen
des einen Galuresen, der auf seiner Schulter lag,
stören zu lassen.

Auch ich schlief ein. Von Zeit zu Zeit weckte
mich das Stillhalten des Wagens, das Wechseln
der Pferde, oder das Fahren über ein fürchterliches
Stadtpflaster. Wir waren durch Toralba gekommen. Zu meiner Linken glaubte ich das Meer zu
sehen, doch es kann auch ein See gewesen sein. Die
Nacht blieb schwül, die Luft der einer überheizten
Badestube ähnlich.

Fünfzehntes Kapitel.

Oristano. — Einsamkeit am Golf. — Die Padrona und Fulgenzio der Cavalcante. — Milis im Orangenwalde. — Der Gensdarm.

Der Tag graute, als ich in Oristano ankam. Mein Koffer wurde abgeladen, der Condukteur verschwand, kein Gepäckträger zeigte sich, ein Postillon führte frische Pferde vor und spannte ein. Bald sah ich den Wagen wieder weiter rollen, Niemand fragte nach mir. Ich schleppte endlich den Koffer in einen offenen Raum, wo zwei Fuhrleute in einem kastenähnlichen Bette schliefen und ging die Gasse hinab, um eine Locanda aufzusuchen.

„Seid Ihr's Fulgenzio?“ fragte eine weibliche Stimme aus einem Fenster heraus, nachdem ich lange an der Thür geklopft hatte.

„Sei 's Fulgenzio oder Ambrosio“ erwiderte ich. „Hier ist ein Reisender, der ein Nachtlager wünscht!“

Der Weiberkopf verschwand aus dem Fenster, endlich ging die Thür auf, die aufs Nothdürftigste

bekleidete Gestalt eines dicken Weibes mit pech=
schwarzem unordentlichem Haar wies mich in ein
kleines Zimmerchen, das sie neben der Wirthsstube
aufsperrte.

Angekleidet warf ich mich aufs Bett, um weiter
zu schlafen.

Das Geläute vieler Glocken, die den Sonntag
einläuteten, weckte mich bald wieder, ich stand auf
und mischte mich unter die Gruppen, die vor dem
Dom standen. Oristano ist der Sitz eines Erzbi=
schofs, der Sitz eines Seminars und mindestens
mit acht Mönchsklöstern gesegnet; man sah daher
heute schwarze Gestalten mit Schaufelhüten und
Ordensbrüder von allen Farben in Fülle. Züch=
tig in ihre Schleier gehüllt, meist in schwarzen, sei=
benen Kleidern, das Gebetbüchlein und den Rosen=
kranz in der Hand, zogen feueraugige Frauen vor=
über. Kleine Gruppen von piemontesischen Ver=
saglieris standen coquettirend auf dem Platze. Der
Dom ist ein ziemlich merkwürdiges Gebäude im
gothisch byzantinischen Style mit einem hohen,
achteckigen Glockenthurm; er füllte sich allmählich.
Ich warf einen Blick hinein und hatte das Ver=
gnügen, in einer Seitenkapelle die Statue des
heiligen Johannes von Nepomuk zu erblicken. Die
Menschheit weiß doch, wer ihre verdienten Männer,

ihre Wohlthäter sind. Die Namen Keppler oder Gutenberg sind nicht so weit herumgekommen.

Oristano, das ich nun zu durchwandern begann, war einst eine mächtige Seestadt. Hier wohnte Einer der vier sogenannten Richter von Sardinien, die, von Genua wenig oder gar nicht beschränkt, einen königlichen Prunk zur Schau trugen. Karl V. und Karl VI. führten in ihrem großen Titel den Namen Markgrafen von Oristagni, was mit der jetzigen Oristano gleichbedeutend. Jetzt ist alles, was an Pracht erinnern könnte, verschwunden. Die einst mächtige, volkreiche Stadt hat kaum sechstausend Einwohner mehr. Der Pallast der alten Markgrafen von Arborea ist in eine Caserne umgewandelt und in den Fenstern, aus welchen einst die schöne Prinzessin Eleonora blickte, hängt nun der Bergsagliere seine zerrissenen Hemden auf.

Diese schöne Prinzessin Eleonora besiegte die Arragonier im Felde, erweiterte ihr Gebiet und wurde die Gesetzgeberin ihres Landes. Sie war eine Zeitgenossin jenes glänzenden Viergestirns von Herrscherinnen im vierzehnten Jahrhundert, eine Zeitgenossin Johannas von Neapel, Margarethas von Dänemark, der Margaretha von Anjou und Philippine von England. Das Gesetzbuch, welches ihr den Ursprung verdankt, existirt noch und

soll besonders im Punkte der Ehegesetze merkwür-
dige Capitel enthalten. So wurde z. B. derjenige
schwer bestraft, der einen Mann als Hahnreih
bezeichnete und die Strafe wurde verschärft, wenn
er bewies, daß der Mann es auch wirklich sei.

Nicht anders wie Cagliari, ist auch Oristano
beinahe unmittelbar auf den Grundmauern einer
römischen Stadt gebaut. Auf dem Vorgebirg St.
Marc, das wie ein gewundenes Horn in den blauen
Golf hineinragt, lag Tharros, unter den Römern
eine blühende Handelsstadt. Noch heute sind
Ruinen und Gräber im Sand der Dünen zu
sehen.

Ich ging dorthin. Es war lieblich im Schatten der Pinien zu sitzen. Ich hatte mir auf
die Reise die Idyllen des Theokrit mitgenommen,
zog das Büchlein hervor und las nun darin
unter dem Zauber einer ganz ähnlichen Natur, wie
sie Theokrit schildert. Das Meer schlief in der Mit-
tagssonne, kein Insekt summte, keine Ziege graste
zwischen den Felsen, die Fläche vor mir, im Halbkreis von der sanft ansteigenden Bucht begrenzt,
lag still, unbeweglich da. Hier und dort in der
Ferne stand ein weißes Segel eines Thunfischers
— das Uebrige war Ultramarin. Es war die
Stunde, da Pan seinen Mittagsschlaf hält und .

die Hirten sich scheuen, ihre Flöten zu blasen, um ihn nicht zu wecken. . . . . .

Ich blieb lange im Golf.

Nicht allzufern von Oristano, aber seitwärts von der Hauptstraße liegt Milis, berühmt durch seine in ihrer Art einzigen Orangenwälder. Ich hatte, seitdem ich auf der Insel war, mehrmals von ihnen gehört und fragte Abends, als ich in die Stadt zurückgekehrt war, meine Padrona, wie ich am leich= testen dahin gelangen könne.

„Ihr könntet ein Wägelchen nehmen", war die Antwort, „doch der Weg ist nicht eben von den besten. Am Gerathensten wäre es, Ihr ließet Euern Koffer hier und machtet die Partie zu Pferde. Ich kann Euch, Herr, einen trefflichen Burschen empfehlen, den Cavalcante Fulgenzio. Der kennt alle Wege und Ihr könntet mit ihm ungefährdet durch die ganze Insel reiten, so beliebt ist der Bursche allenthalben wegen seines freundlichen Gesichts und seiner an= genehmen Sitten. Als Ihr heute um vier an der Thür pochtet, meinte ich, er sei es. Er ist aber erst Abends gekommen. He da, Fulgenzio, ein Herr ist da und frägt nach Dir. Er will nach Milis!"

Ein Bursche von ungefähr zwanzig Jahren, mit einem braunen Gesicht, einem Maul, das schier

12*

von einem Ohr zum andern ging und einem glänzenden Gebiß, welches verdient hätte, einem Men-
schenfresser anzugehören, kam hinter einem Tisch
hervor und präsentirte sich als Cavalcante. Er
pries die sanfte Bewegung seiner Pferde und wir
wurden handelseins. Noch am selben Abend gab
ich mein Gepäck postrestante nach Sassari auf, um,
wie ich mich auch später entscheiden möge, von
der Sorge um das Eigenthum frei zu sein. Nur
das Allernöthigste behielt ich, in einer kleinen Reise-
tasche verwahrt, bei mir.

Am andern Morgen hielt Fulgenzio mit seinen
beiden Pferden im Hofe. Die Wirthin, die offen-
bar zu dem jungen Burschen in einem zarten
Verhältnisse stand, tätschelte die Pferde, brachte dem
Liebling noch eine weingefüllte Kürbisflasche entgegen und Beide hatten eine geflüsterte Unterhaltung.
Fulgenzio sah stattlich aus: halb wie ein bewaffneter
Mönch, halb wie ein Räuber. Er trug eine Art
Kutte von grobem, braunem Tuch mit einer Ka-
puze, die er über den Kopf gezogen. Ueber der
Schulter hing ihm eine lange Flinte herab, ein
langes Messer in einer Lederscheide balancirte vorn.
Bald saßen wir in den Steigbügeln, die Padrona
winkte noch einmal glückliche Reise, und wir trabten
lustig in den frischen Morgen hinein.

Trotz seines Menschenfressermauls schien Fulgenzio ein harmloser und sogar gutmüthiger Junge. Er
war gesprächig und hätte gar zu gerne erzählt. Leider
verstand ich von zehn Worten, die er sagte, immer
kaum eins. Der Sardinische Dialekt ist ein barba-
risches Gemisch von Italienischem und Spanischem,
das noch dazu, hier im Logoboru, im südlichen Theil
der Insel, stark mit arabischen Wörtern versetzt ist.
Unser Gespräch mußte sich auf die einfachsten Rede-
formen beschränken und die Zeichensprache vielfach
in Anwendung kommen.

Wir ritten durch ein wohlbebautes Land, das
zwischen zwei sanften Hügelreihen hingegossen da-
lag. Mächtige Eichen und Kastanien bedecken die
Höhen, Lorbeer und Cactus bilden Hecken. Zahl-
reiche Vignen erschienen rechts und links, von
Zeit zu Zeit kamen einsamstehende Höfe zum
Vorschein.

Endlich, — die Mittagszeit kam heran und die
Hitze ward immer lästiger — endlich sahen wir
Milis vor uns liegen, und es ist gewiß keine
Illusion, wenn ich schon aus der Entfernung einen
balsamischen Anhauch wahrzunehmen glaubte. Ein
nettes Dorf, mit weißschimmernden Häusern, lag es
inmitten seiner Orangenhaine da, mit einer kleinen,
malerischen Kirche und blinkenden Villen ringsum.

„Seht hier," rief Fulgenzio, „das Paradies un=
serer Insel! Hier athmet man Wohlgerüche das
ganze Jahr, als wäre man im Himmel!"

Er schnaubte mit seinen breiten Nüstern und
fächelte ihnen die Luft mit der Hohlhand zu.

Das Wirthszimmer der Locanda, in der wir ab=
stiegen, war ganz dunkel. Das Auge, durch das
Licht draußen geblendet, mußte sich erst langsam
gewöhnen, bis es einen Gegenstand erkannte. Zwei
Gensdarmen saßen an einem Tische, offenbar von
einem langen Ritt ermüdet. Der eine, ein Niz=
zarde, sprach französisch und schien erfreut, Jeman=
den zu finden, mit dem er in seiner Muttersprache
plaudern konnte.

„Sehen Sie," sagte er, indem er ein Blatt der
Unione aufschlug, welches vor ihm auf dem Tische
lag, „da lese ich eben vom Unglück der lombar=
dischen Jünglinge, die in die österreichische Ar=
mee gesteckt, nach allen Ecken der Welt, an den
Rhein und nach Böhmen, Ungarn, Polen geschickt
werden. Ich halte das für Deklamationen. So
klein unser Land ist, wir kommen auch weit genug
herum! Mein Kamerade dort war noch vor einem
Jahre in der Krim, und mir ward es auch nicht an
der Wiege gesungen, daß ich hier unter menschli=
chen Teufeln nun schon Jahrelang mich herumzuschla=

gen habe. Es ist der Jugend gut, wenn sie in
der Welt herumkömmt, aber unter Halbbarbaren
zu leben, in einem Land, wie dieses ist, aufräumen
zu müssen, glauben Sie mir, das ist nichts Leich-
tes! Ob ich doch je wieder meine Heimath und
meine alten Eltern wiedersehe!"

So schwatzte er noch lange, ich verabschiedete
mich von dem freundlichen Menschen und ging,
nachdem ich einen Führer angenommen, zum Dorf
hinaus. Es gibt der Orangengärten um Milis
herum über dreihundert; die größten gehören dem
Domkapitel von Oristano und dem Marquis von
Boyl an. Ich ließ mich zuerst in den einen,
dann in den andern führen.

Beide sind kleine Wälder, einzig aus Pomeran-
zenbäumen gebildet. In der freien Natur hat der
Baum seine steife Kugelform verloren, er streckt
und reckt seine Aeste nach allen Seiten, und in
seiner Krone leuchten die goldnen Aepfel, die silber-
nen Blüthen. Man wandelt unter einem ununter-
brochenen, schattenden, schimmernden Laubdach. Eine
dicke Schicht herabgefallener Orangenblüthen deckt
den Boden, kleine Bächlein sind an den mächtigen
schwarzen Wurzeln vorübergeleitet, ihr Gemurmel
vereinigt sich mit dem Gesange der Vögel, die in
den Zweigen wohnen. Man kann in diesem Haine

der Hesperiden frei umhergehn, die Zweige bei Seite biegen, die dem Wanderer ihre Blüthen ins Gesicht schlagen und von einem Duft ohne Gleichen berauscht, sich in den Schatten von Orangen strecken, die so mächtig wie Waldbäume sind.

Der gesammte, den verschiedenen Besitzern gehörige Orangenwald von Milis soll fünfmalhunderttausend Bäume zählen. Er gibt in einem Durchschnittsjahre zwölf Millionen Stück solch goldener Aepfel ab. Im Garten des erzbischöflichen Kapitels ist ein Baum, der allein jährlich über fünftausend Früchte tragen soll. Mehrere Bäume dort sind, wie mir der Gärtner, ein Geistlicher, sagte, nachweisbar über sieben Jahrhunderte alt.

Der Urvater von allen steht im Garten des Marchese von Boyl. Er ist so stark, daß ein Mann ihn mit ausgebreiteten Armen nicht umspannen kann; seine Krone ist majestätisch, wie die einer Eiche.

Der Gang durch den Orangenwald von Milis schien mir allein schon die Reise nach Sardinien zu lohnen. In einem Pavillon im höchstgelegenen Garten sitzend, sah ich die herrlichste der Campagnen sich meilenweit ausdehnen, das Abendroth lieh dem freundlichen Bilde eine zauberische Beleuchtung.

Es dunkelte bereits, als ich, einen blühenden

Orangenzweig, den ich mir zum Andenken mitgenommen, in der Hand, in das Wirthshaus heim-
kehrte. Der Gensdarm sattelte eben sein Pferd,
um in die Berge hinauszureiten, und auf mein
Zimmer angelangt, hörte ich noch den Huf seines
Pferdes und das Klirren seines Säbels, als er
die Chaussee entlangtritt.

Am Himmel zog sich ein Gewitter zusammen
und ferne Donner durchbrachen von Zeit zu Zeit
die nächtliche Stille.

––––––––

Sechszehntes Kapitel.

Hirten und Landleute — Wilde Sitten. — Bergan. — Der Gensdarm. — In der Einöde. — Ein nächtlicher Raubzug.

Der Morgen war angenehm mild, das Gewitter hatte die Luft abgekühlt. Ich faßte rasch den
Entschluß, statt nach Oristano zurückzukehren, vorwärts zu bringen, um etwas mehr von dem eigent-
lichen Land zu sehen.

Fulgenzio war rasch bereit, mich zu begleiten.
Er mußte in dem ziegenledernen Schlauch, den er
auf dem Rücken trug, ein paar Broblaibe stecken
und ein paar Kürbisflaschen mit Wein füllen. Er
befestigte diese an eine Schnur und an den Sat-
telknopf. Dann saßen wir auf und es ging weiter.

Rings um Milis ist der Boden vulkanischer
Natur und bleibt es noch lange. Mächtige, schwarze,
gleichsam verglaste Felsblöcke, welche von Weitem
Mauertrümmern ähneln, liegen allenthalben in der
Campagna umher. An diesen Felsblöcken wächst
der Feigenbaum wild empor, die Cactus Opuntia

190

und allerhand Dorngeſtrüpp. Dann kommen wieder
Gruppen von Korkeichen und hochgewachſenen Oelbäumen. Hie und da, im wilden Lande liegt ein
Bauernhaus von üppigen aber verwahrloſten Wein-
gärten umgeben; Mais und Reben wachſen dort
im Wirrwarr durcheinander.

Faſt alle Leute, die uns entgegen kamen, ſaßen
auf kleinen, ſchwarzbraunen, unbändig wilden Pferden. Auch Weiber kamen zu Pferd daher, querüber ſitzend, den Sonnenſchirm über ſich ausge-
ſpannt. Die ſcheinbar wohlhabenderen trugen ein
weißes Kamiſol, das in der Gürtelgegend in viele
Falten gelegt iſt, ein buntes Mieder, das, vorn
breit aufgeſchnitten, das grobe Hemd ſehen läßt
und ein Viereck von blauem oder weißem Zeug auf
dem ſchwarzen, buſchigen Haar. Alle waren faſt
bronzefarbig, mit Feueraugen, keine ſchön.

Die Tracht der Männer iſt noch charakteriſti-
ſcher als die der Frauen. Sie tragen eine Art
Mantel ohne Aermel aus gegerbten Schaaffellen
zuſammengenäht, der bis auf die Hälfte der Schen-
kel herabfällt und in der Mitte des Leibes durch
einen Gürtel zuſammengehalten wird, in welchem ein
großes Meſſer in einer Lederſcheide ſteckt. Dieſer
Schaafsfellmantel heißt Coletto. Jeder hat ſeine
Flinte auf dem Rücken, die gelbe Kürbisflaſche um-

gehängt, um den Leib die Carchena, den Ledergurt, in welchen er seine Patronen stecken hat. Sogar der Mann, der über Feld geht, oder auch nur sein Heu im Schubkarren heimfährt, ist mit Gewehr und Dolch bewaffnet, in Gruppen von vier oder fünf sehen sie wie zersprengte Kriegshaufen aus.

Welche Gefahren bei dem wilden und unbändigen Naturell der Sarden aus diesem allgemeinen Waffentragen hervorgehen, liegt auf der Hand. Aus den kleinsten Anlässen entbrennen Feindseligkeiten, eine Beleidigung wird Grund eines Todtschlags und ist ein Opfer durch Flinte oder Dolch gefallen, so ist die Blutrache für die Verwandten eine heilige Pflicht. Der Mensch, der von der Vendetta bedroht ist, muß fortan zu jeder Stunde den Feind fürchten, und Tag und Nacht eines Ueberfalls gewärtig sein. Er verschanzt sich in seinem Haus oder Hof, mauert die Fenster bis auf eine kleine Oeffnung zu und wagt sich fürder kaum aus seinen vier Wänden. Die Kugel kommt nicht aus dem Lauf seiner Flinte, die Flinte nicht aus dem Bereich seines Arms. Es giebt Leute, die fünf, sechs, zehn Jahre so in einer Art Gefangenschaft gelebt haben; endlich einmal stiegen sie in einen Wagen und fuhren in ein nahegelegenes Dorf — aus einem Versteck heraus traf sie das Blei, das

ihnen jahrelang zugedacht war; denn die sardische
Rache schläft nicht. Der Bluträcher muß nun in die
Wälder, in die Berge fliehen. Die Sbirren werden
ihm nachgesandt. Von der Justiz und wieder von
den Verwandten des Gemordeten bedroht, ist er
keinen Augenblick sicher. Man stellt einen Preis
auf seinen Kopf. Er führt ein elendes Leben und
ist durch die Gewalt der Umstände bewogen, ein
Räuber zu werden.

Die Regierung macht seit Jahren den Versuch,
die Vendetta abzuschaffen, es kann ihr nicht gelin-
gen, so lange sie nicht die Entwaffnung des Volks
ins Werk setzen und die Ueberzeugung ausrotten
kann, daß die persönliche Rachenahme eine Pflicht
der Mannesehre und sogar eine Forderung der
Religion sei. So gebiert Mord den Mord und
das Volk der Sarden wie der Corsen zerfleischt
sich selbst in einem immerwährenden, ewig neu ent-
brennenden Kampf. Die Blutrache ist die Geißel
beider Inseln, sie entvölkert sie und läßt sie zu keiner
höheren Civilisationsstufe gelangen, doch wäre es
beschränkt, sie nur der Blutgier und dem wilden
Sinne der Bevölkerung zuzuschreiben und jedes
ideale Moment in ihr zu leugnen. Einerseits un-
gebändigtes Rechtsgefühl und andererseits jene
Liebe der Blutsverwanden untereinander, die Na-

turvölkern in einer Gesellschaft eigen, die noch keine
höhere Ordnung gewonnen hat, ist der eigentliche
Grund der Vedetta. Der civilisirte Mensch ver=
läumdet seinen Feind und sucht ihm zu schaden,
der Bluträcher steht auf dem Duellstandpunkt,
wagt sein eigenes Leben und zahlt mit seinem Blute.

In einem elenden Dorfe, wenn ich nicht irre, hieß
es Bonarcod, ein paar Stunden hinter Milis wollten
wir Halt machen. Es ging Berg an, durch einen
steinigen Hohlweg, die Hitze wurde wieder unaus=
stehlich. Ich kaufte einen Korb mit Feigen und
Trauben, das einzige, was zu bekommen war und
verzehrte sie, da kein Wirthshaus im Orte, unter
dem schattenden Peristyl einer kleinen Kirche.
Etwas Brod und ein Trunk aus dem nebenan=
fließenden Brünnlein vervollständigten das Mahl,
das übrigens in Gesellschaft eingenommen wurde,
denn ein Rudel halbnackter Kinder und wildaus=
sehender, zerlumpter Burschen hatte sich eingefun=
den den Frembling zu betrachten.

Nachdem wir ein paar Stunden gerastet, trab=
ten wir weiter, einem mächtigen Korkeichenwald zu.
Aber es war, als ob das Glück, das mir bisher
leiblich wohlzuwollen schien, in Bonarcod von mir
Abschied genommen habe. Eine Stunde hinter dem
Orte verlor mein Pferd ein Eisen und bald darauf

ging es lahm. Fulgenzio, außer sich, sprang herab,
besah sich den Fuß zu wiederholten Malen, begann
zu jammern und klagend zu bereun, daß er durch
mich verleitet worden sei, ins Gebirge zu reiten,
wo der Weg so schlecht sei. Aber nach Milis zurückzukehren, ging nicht mehr an, wir mußten vorwärts, denn wir glaubten bereits zwei Drittheile
der Tagreise zurückgelegt zu haben.

Bald darauf wurde ich abermals und noch weit
mehr beunruhigt. Es kamen uns von der Höhe zwei
Ziegenhirten mit einem Maulthiere entgegen, auf
dem querüber ein zu Tode verwundeter Gensdarm
saß. Er hatte den Kopf mit einem blutgetränkten
Tuche verbunden, war todtenbleich, hatte die Augen
geschlossen und hielt sich nur aufrecht, indem er
sich auf die Schultern der beiden neben ihn her-
gehenden Burschen stützte. War das der Nizzarde,
den ich gestern im Wirthshaus von Milis gesprochen? Die Entstellung seiner Züge hinderte
mich, ihn genau zu erkennen, aber ich glaube fast
er wars! Welch wunderliche Ahnung hatte dann
diesen Menschen kurz vor seinem Ende erfaßt! Fulgenzio hielt und fragte die Ziegenhirten, wo der
Gensdarm zu seiner Wunde gekommen und wo
sein Pferd geblieben sei, aber die Beiden hatten
Eile, der Weg war jäh, sie ließen sich in kein Ge-

spräch ein. Jetzt begriff ich erst, welch ein schreck-
liches Loos die Diener der Justiz haben, die auf
die Bluträcher Jagd machen müssen und auch der
Gedanke, daß Räuber in der Nähe sein könnten,
lag nicht allzufern. Eine unheimliche Stimmung
überkam mich und schweigend, aber nicht allzu
sichern Herzens, ritt ich, das lahme Pferd antrei-
bend weiter.

Es war meine Absicht Abo Santo zu erreichen,
einen Ort, wo, wie mir die Leute sagten, ein leibliches
Nachtquartier zu finden, aber der Abend kam heran,
die Sonne eilte rasch ihrem Untergange zu, Abo
Santo zeigte sich nirgends. Fulgenzio, der den
Weg doch gut zu kennen vorgab und sich ihn in
Bonarcob nochmals hatte expliciren lassen, sah sich
zu wiederholten Malen um und hielt immer wieder still. Es war ein stilles Eingeständniß, daß er
den Weg verloren.

Der Wald war zu Ende.

Wir befanden uns in einer Hochebene, die keine
Spur von Cultur mehr zeigte und auf der weit
und breit kein Haus, kein Hütte zu sehen war. Der
Pfad verlor sich allmählig in Gerölle und Stein-
geschiebe und hörte endlich ganz auf. Am west-
lichen Horizont, über dem allmählig versinkenden,
glühroth brennenden Sonnenball, lag langes, streifig

zerriſſenes Gewölk von ſchwarzgrüner, unheim=
licher Farbe. Der Abend ſank immer mehr und
über die Wüſtenei kam allmählig eine todtenähn=
liche Stille, die nur der Lärm der Pferdehufe und
manchmal das Schwirren eines Inſekts unterbrach.
Ein Schauer der Einſamkeit, wie ich ihn nie im
Leben vorher geſpürt, befiel mich plötzlich und im=
mer heftiger.

Wir ritten, da die Sonne längs hinunter war,
noch ein paar Stunden, kein Dorf war ſichtbar,
nicht einmal ein Haus, die Wüſte ſchien endlos.
Der Mond, der im erſten Viertel ſtand, kam aus
den Wolken heraus, beleuchtete das Bergland und
die öde Steppe, durch die wir ritten. Die Schatten
unſrer Geſtalten liefen auf dem dürren, ſteinigen
Boden wie zwei Ungethüme neben uns her. Ich
dachte: dieſe Berge hießen bei den Römern insani
montes, μαινομενα ὁρη. Hießen ſie ſo, weil man
in ihnen irrſinnig wird, oder weil es ein Irrſinn
iſt, ſie zu bereiſen? Vermuthlich das Letztere. Wie
wenn dich dein ſtörriſches Pferd an irgend eine
Felsklippe ſchleuderte, dieſer Cavalcante, den du
nicht kennſt, von hinten ſein Fucile gegen dich ab=
drückte, oder Räuber dir irgendwo auflauerten, wie
dem armen Burſchen, den du vor ein paar Stunden
vorüberführen geſehn? Dann dachte ich an die

Fieber, um derentwillen Sardinien stets berüchtigt
war und daß der Sommer immer als die dem Fremden gefährlichste Jahreszeit angesehen werde. Nicht
ohne guten Grund, dachte ich, schickten die Römer ihre
Verbannten hieher und dichteten dem Lande die selt-
samsten und unheimlichsten Mährchen an. Hier
sollten Weiber leben, welche zwei Augäpfel in jeder
Augenhöhle haben, hier wuchs in den Felsen die
herba sardonica, das Kraut, das den Mund derer,
die es genossen, in solcher Art verzerrte, daß sie
lachend zu sterben schienen. Sardinien war Roms
Cajenne — wie schriebe sonst Marttal:

> Nullo fata loco possis excludere; quum mors
> Venerit, in medio Tibure Sardinia est.

Diese unheimlichen Verszeilen gingen mir fortwährend im Kopfe herum, und da sich bei mir zugleich
eine entsetzliche Müdigkeit einstellte und ein kalter,
durch Mark und Bein schneidender Wind, den
Schweiß, den der Ritt mir herausgetrieben, auf Stirn
und Rücken plötzlich erkalten ließ, glaubte ich wirklich schon krank zu sein. Umsomehr trieb ich vorwärts, um aus dieser Oede herauszukommen.

Plötzlich hielt Fulgenzio still.

„Es ist nicht zu leugnen, wir sind vom Wege
abgekommen, Herr,“ sagte er. „In diesen Bergen
soll sich der Teufel zurecht finden! Die Pferde

kommen nicht mehr fort und kein Haus ist zu sehn.
Es bleibt uns nichts übrig, als die Nacht im
Freien zuzubringen."

„Im Freien? unmöglich!"

„Wir sind im Despoblado, kein Haus ist auf
Meilenweite."

„Ich glaube es gern," erwiderte ich. „Aber hier,
wo der Wind so furchtbar bläst, ist's doch unmöglich zu campiren? Dort scheint eine Schlucht
hinabzuführen, da giebt es Bäume und Felsen, die
einigen Schutz bieten, da wollen wir hin und den
Morgen abwarten."

„Es wird nicht gehn — o wie bringe ich die
Pferde meinem Herrn zurück?"

„Es wird gehn, der Abhang ist nicht zu steil.

Ich sprang ab und führte mein Pferd. Fulgenzio folgte unwillig.

„Was rauscht da?" fragte ich, als wir in der
Mitte des Abhangs waren.

„Ein Wasser!"

„Wird es seicht genug sein, daß wir durch-
kommen?"

„Die Madonna weiß es! Ich hoffe. Wäre
ich doch nicht in die Berge gegangen! Da gibt
es an jedem Kreuzweg Geister, die Einen irre-
führen."

13*

„Es wäre wohl eher an mir, Euch Vorwürfe zu machen, der mich einen Weg führt, den er selbst nicht kennt."

Wir gingen vorwärts. Dorngestrüpp und rollende Steine machten das Gehen äußerst beschwerlich. Endlich kamen wir an das Wasser, aus dem große Steinblöcke hervorragten. Vorsichtig von einem zum andern schreitend, gelangten wir hinüber; dort, am andern Ufer, schien uns in einer Gruppe von Oelbäumen ein etwas leidlicheres Nachtquartier zu winken. Es war, soviel ich auf meiner Uhr erkannte, elf Uhr geworden.

Plötzlich hörten wir von der Bergwand über uns Stimmen und herankommende Schritte.

„Was ist das?" fragte ich den Cavalcante.

„Weiß nicht!" sagte Fulgenzio und wollte sich seitwärts in das Dickicht der Oelbäume schlagen.

„Bleibt stehn!" rief ich und suchte die Pferde zu beruhigen, die ihre Ohren spitzten.

Die Schritte der Männer kamen immer näher. Endlich wurden wir sie gewahr. Es war eine Schaar von acht bis zehn Leuten, deren Gewehre und Piken im Mondscheine blitzten; der erste trug ein Mutterschaaf auf der Schulter, die Uebrigen trugen ähnliche Beute.

„Was ist das?" fragte ich, bei Seite tretend, Fulgenzio leise.

„Es sind Hirten, die ihre Feinde überfallen haben und mit der Beute davon eilen," flüsterte der Cavalcante. „Holla, gute Nacht und guten Raubzug, Leute!

Der Hirte, der den übrigen voranging, blieb stehn und sagte: „Wer seid Ihr? Was wollt Ihr?"

„Hier ist ein Herr, der durchs Land reist und nach Macomer will," sprach Fulgenzio. „Ich begleite ihn."

„Seid Ihr keinem Sbirren begegnet?" fragte eine Stimme aus der Schaar.

„Einem wohl, heute Nachmittag, aber der war in die Stirn getroffen und hatte genug."

„Die ganze Schaar zog vorüber. Fulgenzio fragte noch: „Ist keine Wohnung in der Nähe?"

„Geht das Flußbett hinab, nicht fünfhundert Schritte fern trefft Ihr das Haus des Gregotti, hart am Wasser."

Die Hirten verschwanden in den Felsen und im Gestrüpp des Ufers. Wir blieben noch eine Weile stehn und horchten, wie die Steinblöcke unter ihren Tritten ins Wasser schlugen. Dann ward alles still und ich sagte zu Fulgenzio:

„Welch ein günstiger Zufall! Ein Nachtlager ist gefunden. Laßt uns das Haus am Wasser aufsuchen.“

Fulgenzio entgegnete nichts, aber er begann die Pferde langsam und vorsichtig hinabzuführen.

Der Zufall hatte sich vorbehalten, mir eine Episode aus dem Leben der sardinischen Hirten vor die Augen zu führen. Diese, fast alle Nomaden, wandern mit ihren Heerden und ihren Familien von einem Weideplatze zum andern und liegen fortwährend unter einander in Krieg.

Eine kleine Stunde später standen wir vor einem Hause, wenn man es so nennen konnte, einer elenden Wohnung, aus rohen unbehauenen Steinen errichtet. Wir mußten lange pochen, bis sich ein Fenster aufthat. Fulgenzio machte den Parlamentär. Endlich hörten wir Fußtritte die Treppe herabkommen, der Riegel öffnete sich, ein finster aussehender Mann hieß uns eintreten.

Er konnte uns als Nachtquartier nichts anders anweisen, als ein enges, niederes, dunstiges Zimmer im Erdgeschosse. Ich griff nach einem Krug Wasser, trank, dann rollte ich meinen Rock zusammen, legte ihn als Kissen auf die Bank, streckte mich aus, breitete meinen Shawl über die Füße und in weniger als fünf Minuten lag ich in tiefem Schlaf.

Siebzehntes Kapitel.

Am folgenden Tage verabschiedete ich meinen Cavalcante und nahm den Gregotti, den Wirth des Hauses, in welchem ich übernachtet, als Führer nach Macomer mit. Es gab einen angestrengten Marsch durch ein wildes, ödes, furchtbares Gebirge, die Marguine genannt, aber die Hoffnung belebte mich, daß ich Abends wieder auf der Chaussee und an einem Ort sein würde, den der Eilwagen nach Sassari passirt. Endlich war die Höhe erstiegen und · in der leidlich guten Osteria von Macomer konnte ich ein Stündchen ausruhn.

Als der Abend dunkelte, kam der Eilwagen vorbei. Der Conducteur gab mir einen Platz an seiner Seite, und bald ging es in die Nacht hinaus, thalabwärts, denn Macomer ist der höchste Höhepunkt, den die Straße zu erklimmen hat.

Wir fuhren ungefährdet durch ein Land, das noch
vor Jahren durch seine Räuber berüchtigt war, und
mit Tagesanbruch war ich in Sassari.

Sassari, von Alters her die Rivalin von Cagliari, ein Ort von etwa dreiundzwanzigtausend
Einwohnern, besteht eigentlich nur aus einer einzigen Straße, die „Piazza" genannt, welche die
Stadt beinahe von einem Ende zum andern durch-
läuft. Zwei Reihen traurig häßlicher, schmutziger,
theilweise verfallener Häuser säumen diesen Corso
ein. Der größte, beinahe der einzige Pallast zu
Sassari ist das Haus des Marchese von Vallom-
brosa, der wie aus der Strada Balbi Genua's hierher versetzt, aussieht.   .

Ziemlich pittoresk erhebt sich das Castell mit seinem
Campanile aus rothen Ziegelsteinen erbaut. Daneben sieht man den Thurm der Inquisition, eine
Erinnerung an ein schönes kirchliches Institut, das
mit der spanischen Herrschaft herüber kam.

Sassari war zuerst eine Republik unter dem
Schutze Genua's. Die Constitution dieser Republik, vom Jahre 1316 datirt, wird noch im Archiv
gezeigt. Ein genuesischer Podesta sprach Recht,
denn damals waren viele Städte Italiens der
Ansicht, daß fremde Beamte gerechter als die ein-
heimischen seien. Nach der Eroberung Sassari's

durch die Spanier fanden mehrere Aufstände statt.
Endlich wurden die Eingeborenen erbarmungslos
aus ihrer eigenen Stadt verbannt und durch eine
Bevölkerung von Cataloniern und Aragonesen er=
setzt. So tobt im Süden das heiße Blut der Men=
schen, daß alle Pracht und Schönheit der Natur rings=
um gleichsam wie ein vergebliches Geschenk erscheint.
Und Sassari's Lage ist wirklich schön. Zwölf Miglien
vom Meere und ebensoviel Miglien von Porto Torres
entfernt, lehnt es an den sanften Abgang eines Hügels
und ist von Weinbergen umringt. Ringsherum sind
Lusthäuser auf den Höhen, in welchen die reicheren
Leute die heiße Zeit vom Mai bis zur Weinlese, die
um Michaelis fällt, zubringen. Allenthalben gedeiht
die Feige, der Granatbaum, der Lorbeer; die Cy=
presse steht ernst und feierlich da, eine Gattung
niedriger Palmen, Palmizza genannt, zeigt hier
und dort ihre zierlichbuschige Krone. Alleen
laufen in verschiedenen Richtungen aus und
stoßen fast alle auf Gärten. Obgleich von jedem
Fluß entfernt, hat Sassari doch Ueberfluß an
frischem und süßem Wasser; man behauptet, es
gäbe ringsum über vierhundert Brunnen, deren
größter, die Fontana del Rosello genannt, eine
Merkwürdigkeit der Stadt ist.

Die Fontana bel Rosello, an dem Fuße eines
Hügels angelegt und von Bäumen umgeben, ist
über fünfzig Fuß hoch, und von unten bis oben mit
weißem Marmor bekleidet. Auf den zwei breiten
Seiten des Paralellopipedes, in dessen Form sie
gebaut, springen drei, auf den schmälern zwei
Wassergüsse hervor, auf den vier Ecken stehen
lebensgroße Statuen von Marmor, die vier Jahreszeiten vorstellend. Auf dem ersten Paralelle-
pipedum befindet sich ein kleineres, auf welchem fünf
Thürmchen, abermals mit Wappen und Figuren
geziert, stehn, den Gipfel bilden zwei Bogen von
carrarischem Marmor, die einander durchkreuzen und
die auf dem Berührungspunke die Reiterstatue des
Schutzheiligen Sassaris, des heiligen Gavino,
tragen. Man kann dies Bauwerk in Anbe-
tracht seines architektonischen Styls bedenklich finden, interessant und prächtig ist es durch seine
Verschwendung von Marmor immerhin und die
Flut von Wasser, die aus dem geöffneten Mund
dieser Flußgötter und Flußgöttinnen niederrauscht, ist
in diesem Klima und unter diesem Himmel doppelt
erfreulich. Von früh bis spät ist die Fontaine
von Wasserträgern belagert, die ihre Fässer un-
terstellen und damit ihre Esel belasten. Nach-

mittags ist das Thal von Rosello eine besuchte
Promenade.

Am andern Morgen besuchte ich das Kloster
der Claustrali di San Francisco. Von der freien
Gallerie desselben hat man eine herrliche Aussicht
auf die Campagna und das Meer in der Ferne,
unten liegt ein Garten voll blühender Orangenbäume.
Ich stand noch, das Bild betrachtend, zwischen den
Säulen der Gallerie, als ein Mönch an mich herantrat und mich freundlich begrüßte. Es war der
Klosterbruder, mit welchem ich die Tour im Eilwagen von Cagliari bis Oristano gemacht hatte.
„Wo haben Sie", fragte er, „sich inzwischen herum-
getrieben?"

„Ich erzählte ihm von meiner Reise über das
Gebirg von Milis bis Macomer.

„Sie sind sehr unvorsichtig gewesen," sagte
der Mönch, als ich mit meiner kurzen Beschreibung zu Ende war. „Einem Fremden vollends
kann in diesen Einöden das Aergste begegnen. Wie
haben Sie das Land im Allgemeinen gefunden?"

„Theilweise sehr schön, aber sehr öde und schrecklich verwahrlost, man glaubt kaum mehr in Europa
zu sein. Sardinien ist so groß, hat über vierhundert Quadratmeilen, könnte gewiß zwei Millionen Einwohner nähren, wie es denn auch im

Mittelalter bereits weit über eine Million genährt und giebt kaum sechsmalhunderttausend Menschen Nahrung und Obdach."

„Die Vendetta, die ewigen Kämpfe der Hirten untereinander, entvölkern das Land", erwiderte der Mönch. „Wo sollte auch Wohlstand und Civilisation herkommen? Der größte Theil der Insel gehört Adeligen, die nie hierhergekommen und ihre Einkünfte, die ein Verwalter unbarmherzig eintreibt, in Genua oder Barcellona verzehren. Wir sind das Irland von Piemont." Ich war indessen an der Seite des Mönchs die Treppe hinabgegangen; aus der Klosterküche, an der wir vorüberkamen, trat eine Anzahl alter, preßhafter Leute heraus, die dort gespeist worden waren.

„Sehn Sie sich die alte Frau dort an", sagte der Mönch. „Das ist eine der Merkwürdigkeiten unserer Stadt."

„Wie so?"

„Sie hat vor ungefähr dreißig Jahren zwei weibliche Zwillinge geboren, die bis zum Gürtel herab zwei, und vom Gürtel abwärts Eins waren. Die Kinder lebten und erhielten in der heiligen Taufe die Namen Christina und Margaritha. Das eine Kind war gesund und kräftig, das andere bleich und schwächlich. Die Bewegungen bei=

der waren von einander unabhängig, sie hatten
zwei Herzen, die zu gleicher Zeit schlugen und sie
schliefen auch immer zu gleicher Zeit. Es schien
nicht unmöglich, daß sie heranwachsen und selbst
Mütter werden könnten, aber Beide konnten mit-
sammen nur ein Kind gebären, dasselbe Kind hätte
zwei Müttern angehört. Die Eltern, habsüchtige
Leute, glaubten mit ihrem Zwillingsgeschöpf viel
Geld verdienen zu können und gingen damit nach
Paris. Dort erkrankte jenes der Kinder, das bisher immer das schwächlichere gewesen war und
starb in einem Alter von acht Monaten. Das
andere lebte noch einige Tage lang fort, als das
Schwesterchen schon eine Leiche war. Damit war
die Nahrungsquelle der Eltern versiegt, sie kehrten
nach Sassari zurück und sind jetzt noch ärmer, als
sie vordem gewesen."

Wir waren inzwischen in den Garten gekommen. „Hier," sagte der Mönch, „hat jeder Bruder
seinen Orangenbaum, der ihm angehört und den
er warten muß. Und bei dieser Gelegenheit kann
ich Ihnen eine poetische Geschichte erzählen. Einer
unserer Ordensbrüder, der einigermaßen ein Frei-
geist war, wurde von seinem Obern aus Sassari
fortgeschickt und in ein Kloster im südlichen Theil der
Insel verbannt. Nun aber hing der Mensch mit

unglaublicher Liebe an uns Allen, am Kloster, in welchem er Jahrelang gelebt, an seiner Zelle, seinem Garten und seinem Orangenbaume. Er that Alles, um die Erlaubniß zu erhalten, zurückkehren zu dürfen, der Prior weigerte sich. Endlich starb der Prior, und der Bruder — er hieß Andrea — durfte wieder in's Kloster der Claustrali di San Francisco ziehn. Wie alt war er geworden, wie verändert, als er bei uns eintrat! Doch er hatte kaum unsern Gruß erwidert, als er schon in den Garten eilt, um seinen geliebte Baum zu sehn. Er setzte sich in dessen Schatten und wir ließen ihn allein. Es ward Abend, Andrea kam nicht wieder, man geht ihn zurückzuholen — er war todt. Er hatte die Freude nicht überlebt, war ruhig eingeschlafen, um nicht mehr zu erwachen."

Mit solchen Erzählungen unterhielt mich der gute Bruder, zuletzt lud er mich ein, auf seine Zelle zu kommen und dort mit ihm ein kleines Frühstück einzunehmen. Das Anerbieten war so freundlich gestellt, daß ich es nicht ausschlagen konnte. Der Mönch breitete ein weißes Tuch auf einem kleinen Tische aus, und brachte aus seinem Schranke Weißbrod und Honig und eine Flasche Wein hervor. Hungrig und durstig, wie ich war, that ich dem frugalen Mahl alle Ehre an. **Amarior** melle Sardo war einst ein römisches Sprüchwort, das Horaz citirt; mir aber hat selten noch etwas so gut geschmeckt, wie der goldene Honig und das weiße Brot in der Klause des San Franziscus zu Sassari.

Achtzehntes Kapitel.

Nun blieb mir von Sardinien nur noch Eines und zwar, wie ich hörte, das Wichtigste zu sehen übrig: die Grotte von Alghero. Dies ist eine Tropfsteinhöhle von ganz außerordentlicher Aus= dehnung und seltenster Pracht, die von der Seeseite her einen Zugang hat. Der Besuch derselben ist nur in den Sommermonaten Juni, Juli, August möglich und auch da nicht immer. Ich hörte, daß in der letzten Zeit mehrere Familien von Sassari dort gewesen wären, und da stand meine Absicht fest, mein Glück zu versuchen.

Ein milder Abend war's, als ich, von Sassari kommend, die lange Linie des Vorgebirgs am Horizonte leuchten sah, und die alterthümliche Stadt sich endlich zeigte.

Alghero ist eine gut gebaute und herrlich ge= legene Stadt mit einem befestigten Hafen, welche

von Catalanen gegründet ward, ihre Blüthezeit
im Mittelalter hatte, jetzt aber, besonders seitdem
Porto Torres sich durch seine Handelsbeziehungen
zu Genua hebt, wesentlich herabgeht. Der Handel des Ortes erstreckt sich selbstverständlich blos
auf Naturprodukte: Käse, Wein, Häute, Wolle,
Korallen. Die Weine von Alghero sollen die besten
der Insel sein.

In dieser alten catalonischen Stadt, die heute
noch catalonisch spricht, fehlt es nicht an histori-
schen Erinnerungen. Hierher kam Carl V. nach
seiner zweiten africanischen Expedition, die so un-
glücklich wie die erste glücklich ausfiel. Man zeigt
noch den schönen Palazzo Albis oder Maromolda,
in welchem er wohnte und das Fenster, von dem er
der Ausschiffung seiner Flotte zugesehn. Aus einer
Bizarrerie des Respekts wurde es zugemauert, damit fortan kein Anderer mehr da hinausblicke.

Auch einen, einst vermuthlich berühmten, jetzt
völlig vergessenen, Poeten hat Alghero geboren, den
Antonio de La Frasso. Im sechsten Capitel des
Don Quichote, wo der Pfarrer und der Barbier
ihren Gerichtstag über die Bibliothek des Edlen von
la Mancha halten, stoßen sie auf die „zehn Bücher
vom Glück der Liebe," verfaßt von Antonio de la
Frasso und der Pfarrer sagt: „Bei meinem heili-

gen Amt, seit Apollo Apollo gewesen, die Musen Musen und Poeten Poeten, ist kein so anmuthiges und tolles Buch geschrieben worden, es ist das trefflichste, ja das einzige unter allen, die in dieser Haltung jemals an das Licht der Welt getreten sind, und wer es noch nicht gelesen hat, kann über= zeugt sein, daß er noch nichts vollkommen Schönes gelesen hat. Gebt es gleich her, Gevatter, dieser Fund ist mir mehr werth, als wenn mir Einer ein Priesterkleid von florentinischem Tuche geschenkt hätte."

Dieses Urtheil des Cervantes stammt aus einer Zeit, wo Alghero, dieser jetzt so öde Ort noch in enger und reger Verbindung zu dem mächtigen Spanien stand und eine blühende, gesittete, reiche Colonie war. Alghero hieß damals im Munde der Katalonier allgemein Barcellonetta und er= freute sich in Spanien ganz eigenthümlicher Ehren. Stets befand sich ein Bürger von Alghero im Stadtrath von Barcellona, während andererseits ein Bürger von Barcellona seinen Stuhl im Rath von Alghero hatte. Kein Wunder also, daß der Schöngeist La Frasso auch in Spanien ge= lesen wurde.

Der Nachmittag war lieblich milde, ich ging eine weite Strecke die Meeresküste entlang. Die

Wogen brachen sich mit regelmäßigem Donnerfall, sonst war nahe und fern in der Einsamkeit der Dünen kein Ton zu vernehmen. Endlich kam ich an das alte Gemäuer eines Wachtthurmes, der von einer Klippe ins weite Meer hinausschaut. Der wilde Feigenbaum hatte ihn mit seinen ranken= den Aesten umklammert, eine Unzahl wilder Tau= ben horsteten oben in den Zinnen. Ich warf mich müde in seinen Schatten nieder und blieb lange dort. Thürme wie dieser laufen rund um die In= sel und sind Denkmäler einer wilden, stets in Ge= fahr lebenden Zeit. Sie wurden von den spa= nischen Vicekönigen errichtet und mit Feldstücken versehen, um die Küste gegen die Korsaren, die aus der Berberei herüberzukommen pflegten, zu schützen. Diese Thürme sind rund, mit sehr dicken Mauern, haben aber im Erdgeschoß keine Thüre. Die Wächter, die sonst dort Wache hielten und in der Nacht das Feuer anzündeten, stiegen auf einer Leiter hinauf und zogen diese hinter sich nach. Mit= telst der Signale von Feuer oder Rauch, die sie mach= ten, konnten Nachrichten schnell um einen großen Theil der Insel laufen.

An der Klippe unter mir kam eine kleine Fe= luke angefahren und warf ihre Netze aus. Es waren Korallenfischer. Alghero hatte in alter Zeit

14*

die Reputation, die vorzüglichsten Korallen im
Mittelmeer zu liefern und hätte sie noch immer,
wenn die von der Nordküste Afrika's nicht jetzt be=
liebter wären.

Die Art, wie hier die Korallenfischerei betrieben
wird, ist die primitivste, die es geben kann. An
ein Kreuz aus Latten, das in der Mitte mit einem
großen Kieselstein beschwert und in seiner ganzen
Länge und Breite lose mit Hanf umwickelt ist,
sind vier Netze beutelartig befestigt. Die ganze
Vorrichtung ist an zwei Seilen aufgehangen, von
denen man eins an den Vordertheil, das andere
an den Hintertheil des Bootes knüpft; nun wird
das Ganze ins Meer hinabgelassen. Hier treibt
die Gewalt des Wassers die Maschine gegen die
Felsvorsprünge, auf welchen die Korallenbäume
wachsen, die Aeste fangen sich im Hanf, brechen
ab und fallen, zum Theil mindestens, in die Beu=
tel, die nun heraufgezogen werden.

Auch dies so einfache Geschäft wird nicht von
Sarden betrieben. Genueser, Spanier und Tos=
kaner kommen alljährlich in mindestens tausend klei=
nen Schiffen herüber, zahlen ein Ankergeld und eine
Abgabe von fünf Prozent vom Werth des Fanges;
die Sarden sehen zu. Diese Fischerei dauert von
Ende April bis Ende September an jedem Tage,

wenn kein Maestro weht. Hat ein Fischer in'einer
Saison fünfzig Pfund Korallen erster Qualität bekommen, so ist er zufrieden und nennt es ein gutes
Jahr. — Die Korallen verkauft man nach dem
Gewicht, die Unze zu drei bis vier Franken. Sie
haben nur eine Zeit, in der sie schön sind; sie ver-
berben durch das Alter, werden blaß oder fleckig
und fallen endlich vom Stamm. Terragliokorallen,
d. h. auf der Erde gesammelte, werden für nichts
angesehen.

Gleich nach meiner Ankunft erkundigte ich mich
im Café, wie es um den Besuch der Höhle stehe.
Ich erfuhr, daß sie zwei Miglien entfernt, am
äußersten Ende des Cap Caccia, nahe an der Insel
Forabada liege, und daß die Strömung und die
Gewalt der anschlagenden Wellen sie sehr schwer
zugänglich mache. Mehrere Gesellschaften hätten
unlängst, nach fruchtlosen Versuchen sie zu betreten,
umkehren müssen, wiewohl dies eben die beste Zeit
sei. Alles, was man mir von den Hindernissen
des Zugangs sagte, war höchst entmuthigend. Ich
kam in's Hotel mit der Ueberzeugung an, daß
mein Ausflug nach Alghero in dieser Beziehung
ein vergeblicher gewesen sei.

Am andern Morgen hörte ich Tröstlicheres.
Man sagte mir, eben jetzt sei das Meer ganz be-

fonders ruhig; wenn nie, müffe der Befuch jetzt ge=
lingen. Es galt nun, auch eine Gefellfchaft, die mit
mir die Koften des Schiffes und der Beleuchtung
theilen wollte, zu finden. In der That lernte ich
fpäter im Café eine fpanifche Familie kennen, wir
verabredeten alles und gaben uns ein Rendezvous
für die heutige Nacht.

Mitternacht war eben vorüber, als wir, vier
Männer und zwei Damen, aus dem Cafeehaus
von Alghero traten und in das Seegelboot ftiegen,
das uns an das Cap Caccia bringen follte. Das
Meer war fehr bewegt, aber mit filberner Klarheit
blickten die Sterne herab. Der jüngfte der drei
Spanier hatte eine Guitarre mitgenommen und
fang Lieder von fterngleichen Augen und kalten
tyrannifchen Herzen.

Die Bewegung des Schiffes weckte mich bald
wieder, nachdem ich eingefchlafen war. Der Tag
erwachte. Ich fah die eintönige, bleigraue Däm=
merung immer lichter und durchfichtiger werden,
dann den zuerft gelben, dann orangefarbigen Streif
im Often fich immer feuriger ausbreiten, bis der
brennende Sonnenball endlich, wie mit einem
Sprunge hervortauchte und Waffer und Küfte in
voller Pracht zeigte. Eine Zeitlang rollten die
Wogen, wie von purem Golde, der Wind erwachte,

das Meer sang sein großes Morgenlied, Seemöven
halb schwarz, halb weiß, kamen mit lautem Ge=
schrei vorüber, das Gemüth fühlte sich aller klei=
nen Beziehungen ledig, unendlich erhoben, selig.
Ich werde den Moment nie vergessen.

Es mochte acht Uhr sein, als wir die Spitze
des Vorgebirges erreicht hatten. Unser Steuer=
mann, ein alter Schiffer, der die Tour schon oft
gemacht, gab gute Hoffnung. Dies belebte uns noch
höher. Wir lenkten einer Felswand zu und befan=
den uns bald vor der Mündung der Höhle.

Diese ist eine Kluft im Felsen, mindestens fünf=
zehn Klafter hoch und zwanzig Klafter breit. Man
tritt durch sie in eine Vorhalle von wunderbarer
Pracht. Weiße Stalaktiten, die von der Decke
herabhängen, erglänzen im Dämmerlicht mit einem
wundervoll grünlich=azurnen Scheine. In diesem
Vorgemach liegen ungeheure Säulen zerstückelt auf
dem Boden. Die Einen hat ein habsüchtiger Be=
amter von Alghero abzulösen versucht, um damit
seine Villa bei Nizza zu schmücken, die anderen
melden von der fast unglaublichen Barbarei eines
englischen Seecapitäns. Dieser hat aus Aerger,
daß er nicht in die Höhle dringen konnte, mehrere
Geschützladungen gegen die schönsten Säulen der
Vorhalle abfeuern lassen und noch viel ärger als

fein Landsmann Elgin ſich an einem Tempel, den
die Natur gebaut, verſündigt. Eine der rieſigen
Stalaktiten iſt, wunderbar genug, dieſem vandali-
ſchem Zerſtörungswerk entgangen; ſie erhebt ſich
einzeln, ſchneeweiß in der Mitte der mächtigen
Halle und es iſt, als ob ſie dieſe trage. Das klare
Waſſer, das ewig an ihr herabtröpfelt, ſchmilzt
und benagt ihr Piedeſtal und bildet hieburch gleichſam eine ungeheure alabaſterhelle Schaale, in welcher die Seemöven, die ringsum in den Niſchen
niſten, ein Bad zu nehmen kommen.

Dieſe Schale iſt immer voll von einem klaren,
eiskalten, ſüßen Waſſer. Der Thau, der ſo an der
Säule herabſickert, füllt in der Stunde ein kleines
Trinkglas.

Wir warteten, im Kreiſe auf den umgeſtürzten
Säulen ſitzend, wohl eine Stunde und labten uns
an der kalten Küche und dem trefflichen Wein
von Alghero, den wir mitgebracht. Indeſſen
waren unſere Schiffsleute in die Grotte gedrun-
gen, um ſie zu beleuchten. Die Vorbereitungen
ſind nicht gering. Mit Lebensgefahr müſſen die
Leute zwiſchen den Felſen hinanklettern, um ihre
Talgkerzen anzuſtecken. Welch ein Theater beleuchtet
dann aber dies Bischen Talg!

Laut rufend kamen unſere Leute zurück. Sie

zogen unseren Kahn über den Sand und Kies
des Vorsaals hinüber. Nun besteigt man das
Fahrzeug wieder und fährt über einen kleinen Salz=
wassersee von geringer Tiefe an den Eingang der
wirklichen Grotte.

Die dunkle Passage, die Stille, die Kühle, der
Takt der Ruderschläge im nachtdunklen Wasser,
versetzen das Gemüth in das Reich des Aller=
wunderbarsten, was man auf Erden erleben kann;
kein Traum ist so fremdartig. Es ist Einem ernst
und feierlich, wie bei einem Abschied aus der Welt
zu Muthe, man macht lebendigen Leibes Dante's
Fahrt in die Unterwelt mit und gelangt endlich in
eine Halle, alt wie die Erde selbst, schön und
außerordentlich, als habe sie der Gott der Tiefe
für seine Proserpina erbaut. Das Auge sieht ganze
Enfiladen von Säulen, dazwischen leichte, beinahe
durchscheinende Drapperieen, tausend Gebilde aus
Stein. eine fremde, phantastische Sculpturwelt der
Natur, die man sich als Statuen und Gruppen
von Statuen deuten kann. Eine Säule von den unge=
heuersten Dimensionen, die fast in der Mitte steht,
beherrscht alles Uebrige. Sie ist vermuthlich die
älteste Säule der Welt, älter als alle in den Tem=
peln Indiens oder Oberägyptens; denn wie lang=
sam wächst ein Gebild aus Wassertropfen!

Wie weit die Höhle von Alghero geht, wie groß
ihre Ausdehnung, weiß Niemand, denn sie hat nach
allen Seiten hin auslaufende Arme, dunkel wie
die Schlünde des Erebus, die niemand erforscht hat.

Man befindet sich in einer Feenwelt, und auch
diese hat ihre Grabationen, ihre Stufenfolge. Der
Kahn führt allmählig in eine Abtheilung, la Ro=
tonda genannt, die selbst das vorher Geschaute
überbietet. Die Wände und Decke sind hier wie mit
Milliarden von Diamanten bestreut.

Allmählig schmolzen die Kerzen herab, die dieses
unterirdische Theater beleuchtet hatten und wir muß=
ten beim Schein der Fackeln unsern Rückweg antreten.

Ich war hochbeglückt, ein Schauspiel gesehn zu
haben, das Wenigen zu schauen vergönnt war und
doch zu dem Schönsten gehört, was in Europa zu sehn
ist. Nun, am Ziel meiner Reise stehend, bedauerte
ich die Fahrt nach der Insel nicht. Die Tage von
Milis und von Alghero waren ein Lohn für Alles.

Am Abend desselben Tages kehrte ich nach Sas=
sari zurück und nahm mein Gepäck in Empfang,
das ich in Oristano auf die Post gegeben hatte.
Mit Einbruch der Nacht verließ ich Sardinien und
war nach einer kurzen Seefahrt in San Bonifacio,
somit auf Corsica.

Inhaltsverzeichniß.

122

139

148

160

167

74

86

96